Après des études de lettres, Marion Brunet a travaillé comme éducatrice spécialisée dans différents secteurs, notamment en psychiatrie. Actuellement, elle est lectrice pour diverses maisons d'édition et anime des rencontres littéraires auprès des scolaires. C'est en 2013 qu'elle publie son premier roman, *Frangine*. Depuis, cinq romans ont paru en jeunesse et *young adult* aux Éditions Sarbacane, et *L'Été circulaire* aux Éditions Albin Michel (Grand Prix de littérature policière 2018).

Frangine
Éditions Sarbacane, collection Exprim', 2013

La Gueule du loup
Éditions Sarbacane, collection Exprim', 2014

L'Été circulaire
Albin Michel, 2018
et Le Livre de poche, 2019

Marion Brunet

DANS LE DÉSORDRE

ROMAN

Éditions Sarbacane

Ce roman a été écrit
avec le soutien du CNL

TEXTE INTÉGRAL

ISBN 978-2-7578-7366-3
(ISBN 978-2-84865-820-9, 1ʳᵉ publication)

© Éditions Sarbacane, 2016, collection Exprim'

Bande-son

Lee Hazelwood et Nancy Sinatra, *Summer Wine*
Alela Diane, *Hazel Street*
Serge Reggiani, *Ma fille*
Against me !, *Baby, I Am An Anarchist*
Iggy Pop, *The Passenger*
Alain Bashung, *Sur un trapèze*
A las Barricadas (chant anarchiste espagnol de la CNT-AIT)
Bella Ciao (traditionnel révolutionnaire italien)
Victor Jara, *Te recuerdo Amanda ?*
Beyrut, *Nantes*
Assaf Avidan & The Mojos, *One Day*
Sex Pistols, *Anarchy In The UK*
EdIT, *Ant*
Keny Arkana, *La rage du peuple*
Noir Désir, *Fin de siècle*
Troublemakers, *Get Misunderstood*
Léonard Cohen, *The Partisan*
PJ Harvey, *The Devil*

RENCONTRES

« "Devenir autonome", cela pourrait vouloir dire, aussi bien : apprendre à se battre dans la rue, à s'emparer des maisons vides, à ne pas travailler, à s'aimer follement et à voler dans les magasins. »

Comité invisible, *L'Insurrection qui vient*

MANIF

La rumeur est immense et fait vibrer Jeanne, comme un début de fièvre. Les frissons lui remontent le long du dos, griffent sa nuque. *Quelque chose* va se passer bientôt, quelque chose qui gronde et menace. Elle le sait, sûr et certain. Ça sent la rage et la sueur des énervés. Des filles frappent sur des rideaux de fer, en rythme, avec des morceaux de bois arrachés à une palissade : un tambour oppressant, le *blam-blam-blam* qui accélère lentement – une annonce. Le ciel s'est assombri, la nuit est proche, comme l'hiver.

Ça commence à bouger fort, devant, là où les flics bloquent l'accès à la préfecture. Il y a cette chose dans l'air qui circule entre les gens, une colère énorme qui serait aussi de l'euphorie pure, bestiale. Jeanne sent tout. Et elle n'a pas du tout envie de s'en aller. Que ça dure ! Que ça prenne forme, encore plus fort !

Elle ouvre grand les yeux et serre les poings, heureuse de faire partie de la foule en furie. Ses yeux se posent alors sur un type qui se faufile hors de la masse. Il sort de son sac une bombe de peinture, remonte son keffieh sur son nez, prend son temps ; d'un bras rageur mais appliqué, il bombe son slogan le long du mur :

NOUS CROIRONS EN LEUR CRISE QUAND
LES RICHES SE SUICIDERONT EN MASSE.

Ça fait sourire Jeanne. Et puis ses mouvements à lui la figent, elle – la façon qu'il a de relever son col, ses mains, lorsqu'il secoue sa bombe. Elle n'a pas eu le temps de voir son visage, mais elle bloque sur la poche arrière déchirée de son jean, la ceinture retenant vaguement le tout à mi-fesses, monte le regard vers le pull informe avec des boutons sur l'épaule, pas fermés. Et ses cheveux en vrac au-dessus. Happée par les inclinaisons dansantes du gars : une désinvolture étudiée, agaçante, surtout parce qu'elle n'arrive pas à cesser de le regarder. Le cœur de Jeanne s'emballe malgré elle, jusqu'à l'essoufflement.

Elle s'arrête pour continuer de l'observer, bousculée par la foule des manifestants qui avancent brusquement, affolés, dans l'impasse. La masse casquée commence à frapper.

*

– Basile ! crie un homme aux cheveux gris, qui sort de la foule, une canette de bière à la main.

Basile se retourne sur le cri, libère son visage pour afficher un sourire immense. Les deux se font une accolade, de grandes frappes dans le dos, et se secouent par les épaules.

– Tonio ! T'étais où ?

– Aux Fauvettes, je te raconterai. Fais gaffe, ça commence à bouger sérieusement, devant… Les flics sont nerveux.

Basile sautille en riant, secouant la bombe noire, amusé par le petit bruit de ferraille qui cliquette à l'intérieur.

– Merde, elle est vide…

– Non mais je déconne pas, regarde !

L'autre lève la tête pour voir voler une première lacrymogène, qui vient rouler à quelques mètres. La foule s'écarte en criant pour échapper au gaz charnu et opaque qui s'infiltre partout. Les manifestants refluent vers eux en un hurlement collectif.

C'est à ce moment-là qu'il la voit, immobile, figée au milieu des corps qui courent. Quelques secondes où il photographie sa longue silhouette dans un cuir vert, ses cheveux fauve qui lui tombent sur les yeux et lui donnent l'air hagarde – ou en colère, il ne sait pas. Et sous son œil gauche, une cicatrice en crochet, fissure pâle de guerrière.

Plantés dans les siens, les deux. Noirs, les yeux. Brûlants et soudés à ses gestes.

Du coup, il ne sent même pas que Tonio le tire par le bras, tente de l'embarquer dans sa fuite. Le nuage blanc et acide atteint la fille. Il la voit grimacer, remonter son pull sur son visage, mais ça ne suffit pas. Bousculée par des corps effrayés, le nez sous un pan de son cuir, elle le cherche encore du regard. Puis elle reçoit un choc sec, pile dans les côtes, au-dessus de la hanche : elle s'écroule. Le flic continue sa course, matraque balayant l'espace.

*

Le cœur d'Alison bat en rythme avec le tambour, cogné sur le fer des magasins barricadés. Les premiers tirs résonnent sans qu'elle se décide à fuir. Pourtant, elle le sait bien qu'elle est taillée comme une crevette, qu'elle fait pas le poids dans un mouvement de foule. Sans parler des flics. Mais le nombre entretient l'illusion : pour une fois, elle se sent presque solide, grandie par les autres, alors elle reste. Effrayée comme tout, fragile mais tenace. Elle glisse un doigt sous sa frange noire de deux centimètres, un petit geste pour conjurer l'angoisse. Près d'elle, un barbu rassure sa copine :

– Attends, ils vont pas charger comme ça !

– Tu parles… Et la semaine dernière, c'était quoi ? On a bouffé des lacrymos à plus pouvoir respirer. Moi, je reste pas là.

La fille secoue la tête, sourire amer aux lèvres.

– Lucie, s'il te plaît, on attend encore un peu. C'est important de rien lâcher, de montrer qu'on est là.

– Attendre quoi ? Ils ont déjà commencé à tirer !

Comme pour confirmer, la foule remue et reflue, chassée par les gaz et la charge des flics.

– Tu vois !

Elle s'agite, le visage crispé, serre fort la main du barbu, tout en rondeur, pas l'air inquiet. C'est seulement quand les manifestants devant eux se mettent à reculer en hurlant que le type percute.

– D'accord, on se casse.

Et d'un mouvement parfaitement synchrone, sans se lâcher la main, les deux se mettent à courir. Alison les suit. Elle ne sait pas pourquoi mais ces deux-là, près de qui elle a marché pendant plusieurs kilomètres de manifestation, elle a décidé de ne pas les perdre. Comme si leur amour doublait leurs forces et qu'elle pouvait en choper un bout. Elle accroche son regard au dos de la fille, sa longue jupe de hippie, ses tresses – d'habitude, Alison déteste ça, le look fausse Indienne. Elle galope pourtant dans son sillage.

Quand les deux vont trop vite, elle a envie de leur crier de l'attendre, de crier *Lucie !* puisqu'elle a entendu son prénom. Elle n'en a pas le temps puisque de toute façon, ils viennent d'être acculés comme un troupeau, et les flics leur tombent dessus.

Jeanne n'y voit rien, avale de la poussière ; des vapeurs lui brûlent le visage. Elle a beau essayer de repérer le type – *Basile* –, des jambes, des corps lui coupent la vue. Les fumées des lacrymogènes sont si denses qu'elle hoquette et bave, son visage collé au sol. Un cri se bloque dans sa gorge ; elle n'arrive plus à respirer. Autour d'elle, d'autres sont tombés, frappés ou bousculés, comme elle. Certains sont traînés jusqu'à un camion de police, hissés à l'intérieur. Une fille avec une jupe à fleurs s'accroche au bras de son mec, qu'un flic est en train d'embarquer.

Où est *Basile* ? Elle n'en revient pas, d'une telle violence. Merde, ils n'ont rien fait ! Tout juste braillé et secoué un peu les barrières de sécurité. Et puis il y a cette autre fille, efflanquée comme un chat, avec ce mélange de détresse et de rage dans les yeux, qui roule jusqu'à elle. Des manifestants affolés lui marchent dessus. Jeanne rassemble toutes ses forces pour s'appuyer sur ses coudes, déchire son cuir au passage, et rampe vers elle.

– Lève-toi !

La fille plisse les yeux, n'hésite pas. Dans le chaos mouvant, elle protège sa tête avec un bras et se lève. Jeanne se redresse et l'aide comme elle peut, la soulève facilement – la fille ne pèse rien. Elles titubent vers le trottoir, esquivant les corps, les coups. Jeanne sent alors une poigne solide qui la tire, sans ménagement. Elle ne lâche pas la fille.

Elles courent dans une ruelle, courent comme des dingues, haletantes, entraînées par… un homme, oui, Jeanne le reconnaît maintenant. Tonio, il s'appelle.

– Attends ! J'en peux… plus !

Ils s'arrêtent, cassés en deux par la course, le souffle sifflant. Ils pivotent sur eux-mêmes, les yeux à l'affût, animaux traqués. Le silence les cueille. La nuit aussi, complète à présent.

– C'est bon, lâche Tonio.

– C'est *bon* ? Tu déconnes ?

– C'est bon… pour nous.

– C'est tout ce que tu trouves à dire après *ça* ?

Jeanne, l'indignation hargneuse, la valse des matraques encore dans la rétine.

– T'énerve pas, ma belle…

– M'appelle pas comme ça !

Elle se penche vers le sol, filet de bave acre aux lèvres, essaie de vomir mais n'y parvient pas. Secouée de spasmes, elle se tourne vers la fille.

– Tu t'appelles comment ?

– Alison.

– Jeanne.

Les jeunes femmes se sourient, les yeux rouges et complices.

– Ben, vous me le demandez pas, mais moi c'est Tonio, annonce le mec – un vieux, enfin pas tout jeune, avec du rire dans la voix.

Il étale un sourire doux sur sa face abîmée. Ses yeux brillent de chaleur amusée ; il ramasse ses cheveux gris en queue-de-cheval, puis il pose une grande main amie sur leurs épaules.

– C'est la première fois, hein ?

Jeanne se redresse, tendue.

– Quoi ? La première fois de quoi ?

– Les flics, les coups, tout ça…

Jeanne secoue la tête sans répondre. Alison voudrait faire la fière-à-bras elle aussi, blasée, une habituée de ce genre de combats. Un hoquet, les larmes qui montent d'un coup, et son menton se met à trembler.

– Les lacrymos…, elle plaide.

Jeanne non plus n'en mène pas large, même si elle donne le change.

Tonio comprend tellement. Il passe son bras autour d'elles, les secoue comme des copains de bistrot.

– Venez, on va boire une bière et compter les blessés.

Alison refuse de sourire, ravale ses larmes en serrant les dents.

– Vous allez voir, il ajoute : la bière, ça fait passer ce goût dégueulasse.

– Impossible !

Elle secoue la tête comme un poulain rétif.

– Mais si ! Je te jure ! C'est immonde sur le coup, mais ça passe.

– J'ai vraiment cru que j'allais crever.

– Moi aussi, ajoute Jeanne.

– Normal : ça bloque tout, côté trachée, alors… La prochaine fois, prenez un citron. Un quartier entre les dents, t'aspires – ça aide.

Joignant le geste à la parole, il ouvre son sac et en tire un citron et son opinel, coupe, tranche, et leur en donne un morceau chacune.

– Allez-y.

Elle mordent, avalent, grimacent ensemble sous l'acidité. Oui, ça apaise la brûlure lancinante, au fond de leur gorge.

Jeanne comprend, en forçant son cœur à battre plus calmement, qu'elle fait partie de ceux qui ne comptent pas et ne sauront jamais compter : une cinquantaine en fin de manif, armés de leurs mains, contre deux cents CRS et flics avec matraques et boucliers ; c'était mort d'avance, déjà joué. Elle secoue la tête, bien plus bouleversée qu'elle ne voudrait l'admettre. Et se demande si Basile, le type avec la bombe et les gestes qui dansent, a su courir assez vite.

Elle espère que oui.

GARDE À VUE

Basile touche sa lèvre éclatée du bout des doigts. Ça saigne encore. L'arcade aussi, et ses cheveux collent à la plaie. La bonne nouvelle, c'est qu'il a eu le temps de balancer son bonnet et sa bombe de peinture sur le trottoir. La mauvaise, c'est qu'il s'est quand même fait embarquer par les flics. Bringuebalé à l'arrière du camion avec six copains d'infortune, puis claquemuré en cellule avec d'autres, clochards bourrés et petits délits – polos Lacoste et survêts Tacchini. Tout le monde braille, s'indigne et commente la charge *violente et gratuite des keufs*, conspue l'État policier et plus que jamais, prône la nécessité de la lutte – *armée, pourquoi pas ?*

Basile ne dit rien, lui qui d'habitude n'en loupe pas une pour alimenter les débats. Une phrase en boucle, dans sa tête, éradique toute sa verve :

À peine vue, déjà disparue

Cette fille, cette fille tellement jolie avec son grand regard qui parlait, et puis frappée, au sol, piétinée par la foule. Et lui, quel con ! Bouche ouverte sur un sourire idiot, qui se laisse embarquer comme un débutant ! Alors qu'il commence à connaître le truc, quand même. C'est pas sa première manif, ni même sa première garde à vue.

Faut qu'il appelle Marc. Faut qu'il appelle Tonio. Mais les flics lui ont chopé son portable, évidemment. Il souffle, appuie son dos contre le mur et glisse au sol, jusqu'à se retrouver assis en tailleur, tête basculée en arrière.

– T'as pas une clope ?

Merde, le type pue comme une décharge : sueur, crasse épaisse au coin des yeux et de la bouche. Les flics lui ont laissé son tabac, alors Basile en roule une au clodo, qui l'embouche sans dire merci. Il s'en roule une aussi. Avec beaucoup de chance, ils les relâcheront au matin sans chef d'inculpation, mais c'est pas gagné : détérioration de biens publics, incitation à la haine… ils peuvent aussi lui coller plein de charges au cul et au casier. Mais Basile croit toujours à sa chance, joyeux invétéré, résistant au marasme et à la réalité statistique. Il voudrait sortir d'ici le plus vite possible. Courir après sa petite chimère au cuir vert et aux yeux en colère.

– Peut-être qu'ils vont nous relâcher vite fait…

Le mec qui a parlé, Basile le connaît de vue. En manif, une ou deux fois. Un barbu sympa, toujours avec sa copine. Apparemment, elle a échappé au fourgon.

– Ah bon ? Pourquoi ils feraient ça ?

Les autres se taisent, attentifs.

– Parce qu'ils ont déconné, là ! On n'a même pas essayé de forcer le barrage, ils ont chargé sans sommation… c'est un peu une bavure, non ?

Une poignée d'éclats de rires cueille le gars.

– T'as raison, ils vont même s'excuser !

Tout le monde se marre.

Basile coupe l'hilarité générale de sa voix douce qui donne envie de l'écouter :

– Il a pas tout à fait tort. Vas-y, continue.

– Y avait encore des familles, des gosses. Ça peut jouer, je pense…

– Pas sûr, mais pourquoi pas ? Il y a eu le même genre de chose à Bordeaux, la semaine dernière. Les flics étaient tellement tendus qu'ils ont fait n'importe quoi. Du coup, ils ont dû libérer plein de gens sans même faire de comparutions immédiates. Les manifestants se sont fait éclater, mais ils sont sortis sans tache au casier. Dis donc, toi aussi ils t'ont bien amoché.

Le barbu tâte son nez, grimace et se marre.

– C'est très moche ?

– Je sais pas comment t'étais, au départ. Peut-être que t'es mieux !

Les deux rigolent en serrant les dents, parce que merde, ça fait mal, quand même.

Basile tend la main.

– Moi, c'est Basile.

– Jules.

AU BISTROT

Lucie s'écroule sur une chaise, à la terrasse du bistrot. Secouée, les genoux tremblants d'avoir couru si vite, les yeux rougis d'avoir pleuré si fort. En plus elle s'est frotté le visage, alors c'est encore pire : la brûlure s'est répandue sur ses joues, son cou. Mais surtout, surtout, elle s'inquiète pour Jules, embarqué par les flics. Ils auraient dû quitter la manif plus tôt, elle le savait. Autour d'elle, d'autres rescapés s'agglutinent aux tables, tournées d'embrassades, cris et demis, rires nerveux. Près d'elle, deux filles et un mec plus vieux commandent des bières. Elle reconnaît la plus petite, une brune maigrichonne qui marchait à côté d'eux – et qui lui sourit.

– Lucie ?

– Oui ! Comment tu sais ?

– Ton mec, dans la manif. J'ai entendu ton nom. Viens avec nous, si t'es seule.

Lucie décale sa chaise. Tonio tire la table.

– Attends, on colle les tables, c'est mieux : un pote à moi va arriver.

Ils se sourient tous comme s'ils se connaissaient depuis longtemps. Le serveur dépose les bières, accueillies par un grognement de joie collective. Ils boivent en silence, de longues gorgées réparatrices. Trinquent après avoir bu.

Tonio se lève soudain, en apercevant le grand mec baraqué au crâne rasé qui arrive à la terrasse.

– Marc !

Le gars s'approche, embrasse Jeanne, Alison, Lucie, serre la paluche de Tonio et s'affale sur une chaise en interpellant le serveur. Un geste du bras, poing serré tiré vers le bas – une pression en langage universel. Au dos de sa main, un tatouage de chat hérissé fait ressortir ses veines. Le genre de mec qui prend les décisions et que tout le monde écoute, même s'il milite pour la disparition des chefs.

– T'étais où ? demande Tonio. Je t'ai pas trouvé dans la manif.

– Pas pu venir. Un article à finir, et je devais passer au local. J'ai eu l'info par les copains, du coup.

– Tu sais que Basile…

– Je sais ! Il s'est fait choper, ce con.

– Mon copain s'est fait embarquer aussi, glisse Lucie. C'était fou ! Je voulais pas le lâcher mais le flic m'a frappée pour le hisser dans le camion. J'ai pensé qu'il allait m'arrêter, mais non…

– Ah, mais ça c'est parce que t'es une fille.

– Hein ? Depuis quand ils arrêtent pas les filles ?

– Si, des fois ça arrive, évidemment. Mais moins souvent. Parce que les flics sont de gros sexistes : pour eux, t'es pas vraiment une militante qui sait ce qu'elle fait, t'es forcément une suiviste qui baise avec un gauchiste, point barre.

– C'est débile !

– À moins que t'aies le crâne rasé, look black-bloc, et que tu leur jettes des parpaings dans la gueule ! En gros, tu les inquiètes pas parce que t'existes pas. Tu captes ?

– C'est vachement rassurant comme analyse, ironise Jeanne.

– Attends mais pour eux, la guerre c'est la guerre :
un truc de couillus. Quelques coups de matraque pour
vous apprendre à rentrer chez vous, mais c'est juste
préventif… l'idée, c'est que vous devriez rester à la
maison pour nous préparer des pâtes, tu vois ? Pour le
retour des guerriers.

En guerrier il est plutôt crédible, Marc, avec ses
épaules larges comme un buffet. Déménageur : c'est
ça qu'il fait quand il n'écrit pas des articles pour des
journaux libertaires, ou des tracts. Marc est costaud mais
pas vraiment beau ; sauf qu'il est tellement sûr de lui
qu'il le devient, et promène autour de lui une aura de
grondante assurance.

Il sourit dans la mousse de sa bière.

– Et ça t'amuse ?

– Mais non, t'énerve pas… Jeanne, c'est ça ?

– Oui.

– C'est juste pour dire que ces bâtards sont débiles.
Je connais des filles plus enragées que n'importe quel
mec. Et puis, j'ai une bonne nouvelle : je crois qu'ils
vont les relâcher demain matin. Un copain a eu l'avocat
au tel, on en connaît un bien qui s'occupe de ce genre
de situation… et ça se présente pas trop mal, parce
qu'ils ont merdé, et que la presse était là. Ils y sont
allés un peu fort ce coup-ci, y avait même pas eu de
« débordements » – il trace des guillemets dans l'air
avec ses doigts. Et pour les graffitis, ils n'ont aucune
image, pas de preuves, rien.

Lucie soupire de soulagement.

Jeanne aussi, à l'intérieur.

– Demain matin, ajoute Marc, on va récupérer les
petits malins qui passent la nuit en cage. En attendant,
si vous voulez venir manger au squat, vous êtes les
bienvenues.

– Au squat ? demande Alison, qui vit dans une cage à lapins, en cité U, comme Jeanne.

– Oui, pas loin. Mais on va pas pouvoir y rester éternellement, c'est trop le bordel maintenant.

Il fixe Tonio, qui comprend d'un coup.

– Ouais, c'est vrai... on est devenus trop nombreux.

– Pas seulement, insiste Marc.

– Oui, ça va, j'ai compris, souffle Tonio, l'air vaguement coupable.

– Putain mais ouais, tu comprends ! s'énerve Marc. Bien sûr que tu comprends ! N'empêche que quand tu débarques complètement déchiré avec six mecs qui veulent plus partir et foutent le merdier, tu comprends pas que ça me rende fou !

– Merde, Marc, je t'ai déjà dit que j'étais désolé.

Les filles observent, curieuses, ce jeune mec engueuler son pote de deux fois son âge.

– Tu parles ! Tellement désolé que tu te tires une semaine aux Fauvettes en laissant ces connards investir les lieux. Super idée.

– Ils sont pas partis ?

– Ben non, ils sont pas partis. Une fois dedans...

– C'est vraiment des cons ?

– Mais non, c'est pas ça. Ils sont sympas, mais j'ai beau leur expliquer qu'on fonctionne en autogestion, que c'est pas un squat zone... Ils disent qu'ils sont à fond d'accord, qu'eux aussi ils sont anars... anarchie mon cul, oui : y en a pas un qui sait vraiment ce que c'est. Pour eux, c'est *J'en fous pas une rame et les autres feront à ma place.*

Marc descend sa bière. Claque le verre vide sur la table.

– Avec les clebs, en plus.

– Putain...

– Ouais, voilà. T'as tout compris.

Tonio regarde les filles avec sa bouille de vieil immature, conscient d'avoir merdé.

– J'en ai discuté avec les autres, mais personne en a rien à foutre. La plupart n'ont rien dit, ils veulent pas passer pour des relous, et puis ça les arrange. Ah, et puis Jerry et Fab sont très contents que ça parte en live. Concrètement, c'est encore plus dégueulasse que quand t'es parti. Tout le monde s'en fout, tout le monde picole, et je donne deux semaines aux flics pour nous repérer et nous foutre dehors.

Tonio triture son catogan sous l'œil d'un Marc encore furieux.

– Et Basile, il dit quoi ?

– Basile ? Il plane, comme d'habitude. Il dit *Ben on ira ailleurs, toute façon il était temps de prendre l'air.*

Tonio éclate de rire.

– Aaaah, je l'adore !

Marc ne peut pas s'empêcher de sourire, même si ça l'énerve. Basile, c'est son pote ; il peut bien lui reprocher sa désinvolture à peu près trois fois par jour… c'est son pote, le meilleur.

Tonio se tourne vers les filles.

– Alors ? Vous venez ? Ça reste sympa quand même, hein, chez nous.

Marc fait un clin d'œil à Jeanne :

– Je vous fais des pâtes, les guerrières ?

– Moi je préfère pas, soupire Lucie, devenue moitié sans son autre. Je vais rentrer chez moi.

Jeanne secoue la tête en même temps qu'Alison. Pas qu'elles aient peur, au contraire. Cette histoire de squat, ça les intrigue plutôt, autant l'une que l'autre, mais ça fait beaucoup d'un coup.

– Tu crèches à la cité U ? demande Alison à Jeanne. Je crois que je t'ai déjà croisée en allant à la fac.

– Moi aussi. On est dans le même bâtiment. Enfin… – Jeanne grimace – le même clapier, quoi.

La chambre de Jeanne, à la cité U, lui évoque une tanière, posée contre, au-dessus et au-dessous d'autres cages à lapins. Rien à dire, elle a de la chance d'être logée pas cher, tout près de la fac. De là à s'y sentir bien…

– On rentre ensemble ?

Alison acquiesce, soulagée de ne pas rester seule après ça.

– D'accord les filles, lance Tonio, on se retrouve tous demain matin, devant le commissariat. Moi, en revanche, je veux bien que tu me fasses des pâtes, mon Marco ! Et… il reste du muscadet de la dernière fois ?

– Un cubi, Tonio. Un cubi bien caché, rien que pour toi.

CROISSANTS-SAUCISSON

Au petit matin, les yeux gonflés, engoncés dans des foulards épais, ils poireautent devant le commissariat. Ils ne sont pas seuls. D'autres sont venus, en masse solidaire, pour accueillir la libération des interpellés. Quand ceux-ci sortent enfin, poings levés et visages fatigués, la petite foule chante un cri rythmé que Jeanne reconnaît :

El pueblo, unido, jama sera vencido

Jeanne suit du bout des lèvres, tendue. C'est un tout qui l'attrape, une émotion brutale, comme si la lutte prenait un nouveau sens. Elle repère enfin Basile au milieu du groupe.

Quand elle retrouve son visage, qu'elle découvre la plaie sur l'arcade et son regard à lui qui la cherche, la trouve, s'arrête sur elle, tout le reste perd en importance. Ou tout *prend* de l'importance, puisqu'il fait partie de ce tout. Elle s'en agace un peu mais la joie prend le dessus. Il marche vers eux en sautillant presque, comme s'il sortait d'une fête arrosée. Marc attrape son ami par l'épaule, examine le sang coagulé sur le sourcil. Basile tourne la tête dans un mouvement de recul, le sourire fier.

– C'est rien, ça va, laisse. On va boire du café et on pionce ?

Ils filent, très vite, sous le regard d'un flic fatigué. La petite masse se disloque, les groupes se séparent, se saluent en gestes faussement triomphants. Laissant derrière eux l'édifice détesté, ils s'enfoncent dans la ville à la recherche d'un troquet. Jeanne marche près de Basile, sans le regarder. La gêne les unit ; ils partagent le même silence, pesant et grésillant de désirs, et ils ne le savent même pas. Elle cherche quelque chose à dire, un truc fort, inoubliable, pour sceller la rencontre.

– Ça va ?

Elle s'en boufferait l'intérieur des joues.

– Mieux maintenant, beaucoup mieux !

– J'imagine…

– Comment ça se fait qu'on s'est jamais vus ? Tu connais Tonio et Marc ?

– On s'est rencontrés hier soir, en fait. Après la manif, enfin… pendant, pour Tonio.

Marc se retourne.

– Ça vous dit pas ici, plutôt qu'un bar ? On a des thermos de café.

Il bifurque à l'entrée d'un parc, sûr d'être suivi par la meute, et ça ne loupe pas.

– Bon, ben je te présente Alison et Lucie. On s'est rencontrées hier aussi, et je crois pas que tu les connaisses.

Jules tient Lucie enlacée contre lui ; elle arrive même à marcher en gardant sa tête nichée dans le creux de son cou barbu ; on dirait qu'ils s'emboîtent. Il embrasse les cheveux de Lucie et clame :

– Je tuerais pour du café !

– Et des croissants ! braille Basile.

– Et du saucisson ! propose Tonio, qui a le goût des bonnes choses. Attendez !

Il retourne ses poches, compte ses pièces du bout de l'index. Chacun répète le mouvement avec ses propres poches, et verse son butin dans les grandes paluches de Tonio.

– Croissants-saucisson, c'est parti. Je vous retrouve dans l'herbe.

*

– Tu fais quoi, toi ? T'es à la fac ? il lui demande, avachi dans l'herbe, déchirant son croissant comme un fauve.

– Oui. Lettres Classiques. Et toi ?

Il ne répond pas tout de suite. Elle le regarde en douce en triturant la terre. Elle aime bien sa tête quand il sourit à ses potes, leur lance des brins d'herbe comme un gamin. Un geste ample, avec un cri victorieux lorsqu'il fait mouche, comme s'il saluait les insulaires en rentrant au port sur son bateau.

– Cordiste. Je suis cordiste.

– C'est quoi ?

– Plein de jobs différents, du moment que c'est en hauteur, qu'il faut bosser en altitude.

Elle a l'air perplexe ; il explique :

– Couvreur, maçon, laveur de vitres… en hauteur. Avec une corde, un baudrier, tu vois ?

De marcheur, simple terrien, il devient céleste ; sauf que la maçonnerie atténue légèrement l'envol poétique.

Jeanne allume une clope, les doigts un peu tremblants – la fatigue, c'est l'excuse qu'elle se donne. Elle regarde Basile faire tourner entre ses doigts le bout déchiré de son foulard sans âge, entortillé à son cou.

31

– Tu bosses depuis longtemps ?

– J'ai quitté le lycée y a deux ans.

Jeanne attend qu'il explique. Il tord sa bouche d'un air faussement gêné.

– Je passais un peu mon temps à sécher pour traîner au café avec des potes, alors…

– Alors tu faisais quoi ?

– Je restais à la maison, je dormais tard, je foutais rien. Si, je jouais un peu de musique de temps en temps, et je dégommais des monstres sur la Play…

– Tes parents ?

Il semble hésiter, vaguement mal à l'aise, pour de vrai cette fois.

– Ma mère, elle attendait que je réagisse. Mon père, je le vois jamais. Il est parti quand j'étais gosse.

Après résonne un silence, qu'il compense par un sourire terrible.

– Et toi, tu foutais rien ?

– Ben non.

Il frotte ses paumes contre son jean, accepte une tasse de café que lui tend Lucie.

– C'est vrai qu'elle en pouvait plus, ma mère, de bosser tous les jours à la Poste et à la maison sans que je lève le petit doigt pour l'aider. Je suis pas très fier de ça, faut pas croire.

Jeanne ne croit rien du tout. Elle écoute, les oreilles écarquillées, les doigts sales de terre maculant la tige de sa clope.

– Un jour, elle a craqué et m'a expliqué très claire-ment : « *Si dans quinze jours t'as pas trouvé un boulot, je vends ta chaîne hi-fi, tes disques, ta Playstation, ta basse et ton herbe !* »

– Dur !

Il sent l'ironie, se marre avec elle. Il s'anime encore un peu plus, raconte sur le ton de la confidence :

– C'était le matin, tu sais, aux environs de midi, et je me remettais difficilement d'une gueule de bois atroce. J'ai flippé et j'ai promis à ma mère tout ce qu'elle voudrait.

– C'est-à-dire ?

– Elle a exigé que je me lève désormais à une « heure décente » et que je participe au ménage.

Jeanne rigole.

– Qu'est-ce qu'elle entendait par *heure décente* ?

– C'est exactement ce que je lui ai demandé. Et là, elle a osé : *« avant neuf heures, pas de négociation possible »*.

– Aouch…

– T'imagines ?! Sous le coup de la peur, je me suis redressé dans mon lit… J'ai couiné, mais c'était sans appel. Elle est sortie en me laissant sous le choc. *Travailler ?* Fallait vraiment en arriver à de telles extrémités ?

Il mime la frayeur avec l'aisance d'un comédien qui a déjà conquis son public. D'ailleurs, Jeanne n'est plus seule à l'écouter. Alison aussi, et même Marc, qui connaît l'histoire par cœur et secoue la tête en souriant, habitué au numéro d'acteur de son ami.

– J'aurais pu refuser et aller vivre dans le squat de mon pote Marc, en plus c'était un squat plein de filles, et ils étaient tous barrés dans l'autogestion.

– Vas-y, explique.

– Une vie collective basée sur des principes libertaires. Pas mal d'artistes, dans le tas : ils créent tous ensemble mais refusent le marché de l'art. Dans la baraque, chacun fait le ménage un jour différent, et il n'y a pas de possession privée. Tu mets en commun pour la collectivité, tu vois ?

– Très bien, oui.

– Franchement, Jeanne, c'était tentant.

Son prénom, dans la bouche de l'autre, ça lui fait comme une beigne, ou une caresse.

Elle serre les dents, écrase sa clope dans une motte de terre. Elle s'en tire pas trop mal pour camoufler son trouble. Elle fixe ses mains à lui, qui s'agitent avec ses mots, qui dansent dans l'air, déchirent des feuilles. Tout en lui est mouvement, tandis qu'elle se transforme lentement en glaise, immobile. Mais elle sourit, au-dehors et en dedans, à gober l'air opaque autour d'eux, à oublier les coups de matraque, les gardes à vue et tout ce qui la révolte. Elle se dit qu'il faut qu'elle se reprenne. Que ce mec est drôle mais pas suffisamment pour qu'elle bloque bêtement comme ça. Ou peut-être que si. Elle est un peu débordée.

Lui n'a pas l'air de se rendre compte de quoi que ce soit. Ou peut-être que si. Peut-être même qu'il a de bonnes raisons de s'agiter lui aussi, de remplir chaque silence d'éclats, de voix, de gestes – comme une urgence. D'ailleurs il continue, au risque de dire des conneries :

– J'ai pas pu m'empêcher de demander à Marc si les nanas aussi, elles étaient mises en commun pour la collectivité.

– Très futé.

– Oui, hein ? Je crois même que j'ai gloussé. J'ai gloussé, Marc ?

– Ouais. T'as gloussé.

– Ah oui, s'amuse Jeanne. Ça a dû accentuer l'effet percutant de la question.

Il se marre. Ça lui plisse délicieusement les yeux.

34

– Hé, j'étais plus jeune et plus con. Je dirais plus un truc pareil, fais pas cette tronche ! Marc, dis-lui que je dirais plus un truc pareil !

– Je te sers pas de caution morale, mec. Tu te démerdes...

– Tonio ?

– Non plus.

– Et alors t'as répondu quoi, toi, Marc ? demande Alison.

– Marc ? reprend Basile sans laisser à son ami le temps de répondre. Marc il a soufflé, aussi désespéré que ma mère. Il a dit : *Tu comprends rien, mec : les nanas elles font ce qu'elles veulent, elles sont féministes, tu vois ?*

– T'es pas obligé de faire cette voix d'homme des cavernes quand tu me cites, Basile !

– C'est pas une voix d'homme des cavernes, c'est la voix du *sage*, mon ami...

– Prends-moi pour un con.

Il coupe du saucisson, distribue des tranches de la taille d'un doigt.

– Non mais c'est vrai que je voyais pas vraiment, à l'époque, avoue Basile. Ni pour l'autogestion ni pour les filles. Sans parler du marché de l'art. Et puis j'avais aucune envie que ma basse soit à tout le monde.

– Et en plus il fallait faire le ménage ! Quel enfer !

Jeanne s'agace un peu de son théâtre – mais il la fascine aussi, et la curiosité la dévore, comme un petit feu qui brûle le bout des doigts et dans lequel elle aurait envie de mettre la main tout entière.

– T'as tout compris. Je me suis donc rendu à l'évidence : il fallait que je trouve du travail.

– Alors t'as fait quoi ?

– Un tas de trucs. Avant d'être cordiste, j'ai bossé partout : magasinier, serveur, animateur dans un centre aéré… j'ai même fait des remplacements à la Poste. Les pommes, aussi. La farandole des jobs mal payés.

Le ton change, d'un coup.

Plus hargneux.

Il se tait un moment. Jeanne ne peut pas s'empêcher de relancer :

– Et…?

– Ben, j'ai commencé à mieux comprendre les copains libertaires, tiens !

Tonio grogne, opine de compréhension en mâchouillant son bout de saucisson. Lui aussi connaît bien ça, les boulots merdiques et mal payés, et depuis plus longtemps.

– En tout cas, ça m'a rapproché de ma mère. On s'entend bien, maintenant. Et puis j'ai fini par aller y vivre, au squat, et c'est vraiment pas mal.

– Ouais, on en reparlera, souffle Marc.

Jeanne pense aux *copines féministes qui font ce qu'elles veulent*. Elle vide d'un trait la fin de sa tasse, un peu trop vite : du café froid coule sur sa joue, qu'elle essuie d'un revers de main.

– Et vous ? demande Basile. Baptême du feu, hier ?

Lucie fait une moue de fausse colère en accusant Jules du regard.

– Non, pas vraiment !

– Pas vraiment non plus, tente Jeanne. Enfin, c'était pas ma première manif, mais une charge de flics comme ça… si.

– Pareil, annonce Alison.

– Et ça va pas aller en s'arrangeant…

La voix de Marc gronde un peu, prophétique et sombre.

– C'est sûr.

– Si on se fait matraquer dans une manif contre l'austérité, qu'est-ce que ça va être quand on va *vraiment* s'opposer ?!

– Qu'est-ce que tu veux dire ?

Marc se redresse, déjà enflammé à l'idée d'un débat.

– Il va falloir les détruire enfin, toutes ces putains d'institutions : églises, parlements, tribunaux, administrations, armées, banques… universités !

– Ben, en même temps… tu peux pas *tout* détruire, tente Alison, qui a pourtant l'air intéressée par la proposition.

– Mais si ! Ils cautionnent et constituent l'existence même de l'État !

– Oui mais l'État, on ne peut pas s'en passer…

– Ah mais justement, on peut ! Si tu veux penser les choses d'un point de vue vraiment révolutionnaire…

– Aaaah, *d'un point de vue vraiment révolutionnaire…* pardon ! se moque Jeanne. C'est quoi ton plan, Guevara ?

Basile éclate d'un petit rire joyeux, étonné par la répartie de cette fille – provoquer Marc sur son propre terrain, il pensait être le seul à oser.

Marc ne se vexe pas : il aime ça, parler et convaincre. Il fait claquer ses maxillaires et attaque :

– Le système est déjà mort, tu vois. Pourri jusqu'à l'os. Les gouvernants s'échinent à fliquer, contrôler, tabasser, pour essayer de garder le contrôle. Quand tu vois ce que ça donne, là où on s'oppose vraiment… tu te rends compte que la révolution a *déjà* commencé.

– Où on s'oppose vraiment ? C'est-à-dire ?

– Le plateau, Notre-Dame-des-Landes…

– Oui mais c'est différent… Eux, ils vivent en marge.

– C'est exactement la même chose : le combat, c'est le même. Bien sûr, qu'ils vivent en marge, c'est la seule façon de pas être bouffé. Et je parle pas de la Grèce !

Jeanne réfléchit. Sa mèche lui cache un œil, et l'autre se promène du côté de Basile ; son front, ses tempes, sa bouche. Merde – elle se recentre dans une pirouette.

– C'est plus l'État le problème, c'est les banques. Avec le capitalisme, les pouvoirs de l'État : pfuit !

Jeanne se souvient de Nabel, son prof d'histoire. Un bonhomme incroyable, dont elle suivait les cours avec passion. Un dingue, qui ne suivait pas le programme et s'en tapait royalement, malgré les remarques du proviseur. Un jour, au moment où elle quittait la classe, il l'avait retenue par le bras.

– Mademoiselle, j'ai quelque chose qui pourrait vous intéresser.

Il était marrant, le seul à donner du *Monsieur* et du *Mademoiselle* aux élèves, persuadé qu'à 17 ans, on est un adulte en mesure de comprendre et de faire des choix. La plupart adoraient ça, même les nuls en histoire. Il avait farfouillé dans son sac et en avait extirpé un vieux volume de Marx et Engels. Elle s'était sentie fière, même si l'économie, c'était pas trop son truc. Elle avait galéré pour comprendre. N'empêche, ça lui avait ouvert une porte, un monde. Elle se posait déjà pas mal de questions avant ; là, elle entrevoyait quelques réponses.

Basile acquiesce, trop content de pouvoir donner raison à Jeanne.

– Je suis d'accord. Les réformes, c'est rien, à côté de ce qui nous attend.

Marc soupire.

– C'est vrai ! Mais ça n'empêche pas : c'est les deux mâchoires…

– … du même piège à cons, finit Basile à sa place.

Tonio ressert du café. Jeanne savoure l'instant, au milieu de la petite meute pensante, discordante sans doute mais qui rêve d'amorcer un siège, une lutte. Elle ne cherche pas d'échappatoire. Il y a longtemps qu'elle refuse la bouillie fade d'une vie calibrée et d'un système dégueulasse, déjà mort – Marc a tellement raison. Le cynisme ne suffit plus, et elle a envie d'écraser du talon sa lucidité triste. Elle veut faire partie de l'agitation, du grand Tout qui bourdonne : entrer dans la danse. Mais pas toute seule, non. La solitaire en elle se laisse amadouer par l'élan, par les autres.

C'est nouveau et doux, mais pas seulement ; ça la remue aussi, comme une musique, et tout ça la traverse, pousse en elle à grande vitesse, parce que la graine y sommeillait depuis très longtemps. Jeanne vibre du bout de chacun de ses doigts, tendus ou repliés, agités, prêts à caresser ou à se serrer en poing. Et elle voit bien qu'elle n'est pas seule : ça circule entre eux comme une évidence, à grands pas. La guerre, c'est la guerre. Et parfois, ça ressemble à de l'amour.

– Et toi ? lui demande Basile, en aparté.

La réponse, il la veut pour lui tout seul.

– Moi quoi ?

– Tu me demandes plein de trucs sur ma vie, mais toi, tu la vois comment, la tienne ?

– Moi ? Je sais pas, je voudrais une vie différente.

Elle est surprise elle-même par sa dernière phrase, glapie tout bas comme une confidence. Une phrase qui veut tout et rien dire, alors ça l'énerve. Mais il ne se fout pas de sa gueule ; il pivote de droite à gauche sur ses talons, plante ses beaux yeux tout brillants de fatigue dans les siens et répond doucement :

– Moi, je suis sûr que c'est possible.

AMITIÉ

Alison pousse son plateau, l'œil posé en expectative sur une salade niçoise aux haricots filandreux, grasse de sauce. Le restau U, c'est encore le moins cher, même si c'est un peu triste. Elle attrape finalement une assiette de pâtes et une pomme, sort son ticket.

— Pas d'entrée ? lui demande la fille de la caisse.

— Ben non, vous voyez bien.

— C'est compté dans le ticket, vous pouvez en prendre.

— Non mais… j'en veux pas.

— C'est gratuit !

— Je m'en fous que ce soit gratuit : j'en veux pas.

— Oh ben ça va, moi je disais ça pour vous. Pas la peine d'être désagréable…

Un coup de coude, un gloussement : derrière elle, la grande blonde hilare la dévisage, un livre à la main : Jeanne.

— Puisqu'on te dit que c'est gratuit, tu vas la bouffer, ta salade dégueu, oui !?

La fille de la caisse se renfrogne, leur jette un œil noir. Grogne un *connasses d'étudiantes* qu'elles font semblant de ne pas entendre.

Elles cherchent deux places sous les grands néons de la salle saturée de bruit, s'assoient en vis-à-vis au bout d'une tablée. Alison voit bien que Jeanne l'observe attentivement.

– L'autre jour, je t'ai même pas demandé ce que tu faisais à la fac.

– Histoire de l'art.

– Ça te plaît ?

– J'aime bien, pour l'instant.

Depuis la rentrée, Alison écoute et regarde, le *clic* des diapositives, les milliers de croquis, peintures, les dates et les noms.

Ça la pousse dans ses limites, toute cette débauche d'art qu'elle commente et analyse sans cesse. Elle a envie de peindre, Alison, de retrouver la sensation – joie et angoisse – de la création, lorsqu'elle griffonnait des corps en mouvement sur des cahiers secrets. Dans son village, dans sa famille, être artiste, ça n'existe pas. Un passe-temps de bourgeois. Si encore ça payait bien, ou qu'elle puisse passer à la télé. Mais la peinture ? Qui ça intéresse, la peinture ?

Jeanne assène, sans préambule :

– Toi, tu viens d'un bled.

– Ça se voit tant que ça ?

Son sourire, sous le rouge à lèvres sanglant, ne la quitte pas. Jeanne se penche pour chuchoter, comme un secret honteux :

– Moi aussi, c'est pour ça que je l'ai deviné.

– Oh merde ! Toi aussi t'es une bouseuse ?

Les deux se marrent, dans la complicité de l'origine commune : le bled, le village, la taupinière de ploucs. Un bout de campagne où l'on connaît le monde par le trou béant du téléviseur. Ou par Internet. C'est comme si, depuis leur entrée à la fac, elles passaient de l'autre côté ; du côté où les choses se passent, et qu'elles se fondaient dedans.

– Tu lis quoi ?

Alison attrape le bouquin, lit le titre à haute voix :

– Guérin, *Ni Dieu ni Maître*... Tu me le prêteras ?

– Bien sûr.

– Je t'ai même pas dit merci.

– Merci de quoi ?

– À la manif. Sans toi, je ramassais grave.

– Ah, ça... Sans Tonio, moi aussi je ramassais grave.

– Ouais, il est super ce mec.

– C'était fou, quand même.

– J'avais jamais vu ça. Je veux dire...

– T'as eu peur.

– Ben ouais.

– Moi aussi, tu sais. Quand t'es petit, on t'apprend qu'un flic, il coffre les méchants. Pas qu'il va te défoncer la gueule à coups de matraque parce que tu descends dans la rue. Après, t'as beau le savoir, le jour où...

Jeanne ne finit pas sa phrase ; elle sourit à Alison d'un air désolé.

Dans l'ébullition qui a envahi sa vie en entrant à la fac, en quittant la cambrousse, Alison croise chaque jour de nouveaux visages. Ça ne s'arrête pas, comme dans ces vieilles danses où l'on se rencontre en tournoyant et où on change de partenaire à chaque mouvement musical. Instantanément, Jeanne prend une place plus importante que les autres. Pourtant elle ne lui ressemble pas, cette fille qui a l'air solide et déterminée, qui écoute et contredit, parle à tout le monde avec aisance. Pas qu'elle soit timide, Alison, pas du tout – mais méfiante, oui. On ne lui a pas appris à faire confiance, alors elle fait gaffe, la plupart du temps. Parce que le monde qui l'entoure, en plus de le trouver injuste, elle le trouve franchement menaçant. Depuis longtemps elle a appris à s'immerger dans des groupes, discrète, pour faire corps avec d'autres. Et elle sent, d'instinct, que ses dernières rencontres ont un goût de remparts, qu'elles sauront accueillir ses petits bouts de noirceur avec une joie compensatrice, sans l'emmerder. Jeanne encore plus que les autres.

– Je peux te demander un truc ?

– Vas-y.

– Je préférerais que tu m'appelles Ali. Parce que j'aime pas mon nom, on dirait un nom de pétasse américaine, tu vois ?

– Pas de problème. Ou Al, même, si tu préfères ! Ça fait trafiquant, un peu flippant...

– Tu te fous de moi ?

– Pas du tout ! Je déconne, juste. Moi j'ai le nom d'une folle qui entendait des voix, alors je peux pas trop la ramener. Ali, c'est chouette.

– Mes parents ont dû penser qu'avec un prénom pareil, je serais forcément une bombasse blonde, et que ça m'aiderait dans la vie.

Avec sa tête de Louise Brooks anorexique et son sourire de petit rongeur, elle est loin du compte... mais Alison préfère.

– Et les miens ont dû penser qu'avec un nom pareil, je resterais vierge *ad vitam* !

Les deux se marrent. Jeanne croque dans sa pomme, grimace et la jette dans son assiette. Elle balance son buste en arrière, passe une main dans ses cheveux histoire de se décoiffer encore un peu plus, s'étire comme un sourire.

– On va boire un verre dans mon clapier ?

Alison pousse son plateau sur le côté sans y avoir touché et acquiesce, son petit visage illuminé par la proposition.

En sortant du restau U, elles lèvent les yeux sur l'immense graffiti qui mange le mur du réfectoire ; sur le fronton, en lettres noires, bombées à la hâte :

NOUS N'AURONS QUE
CE QUE NOUS PRENDRONS

C'est clair et brutal comme un coup de hache : ça leur convient parfaitement. Cette phrase a été écrite pour elles, c'est sûr. Elle condense si bien l'état de leur esprit, l'énergie pleine et féconde qu'il abrite, qui demande à sortir. Elles ont de la colère et de la joie en reste – une vie entière pour les décliner.

DROIT CONSTITUTIONNEL

Lucie révise. Et qui dit Lucie dit Jules, à côté, collé ou pas loin. De temps en temps elle lève les yeux de ses fiches, pour le regarder. Elle ne voit que le haut de son crâne chevelu émerger du canapé, et les images qui défilent sur l'ordi – il regarde un film au casque. Elle reconnaît les scènes d'*Un autre futur*, ça fait trois fois qu'il le mate depuis qu'ils sont ensemble. Elle l'a vu une fois avec lui, pour partager, pour entrer dans son monde. C'était bien, c'était triste, cette nostalgie des vieilles luttes, l'espoir mort.

Ils sont ensemble depuis l'an dernier. C'est pas si vieux et pourtant, on les dirait inamovibles et synchrones, même dans leurs mouvements parfois. La blondeur presque lisse de Lucie, et ses rondeurs à lui, jusque dans cette barbe en boule qu'il gratte à longueur de temps. Elle remet le nez dans ses fiches. Deuxième année de Droit. Lucie se demande encore comment elle a réussi la première. Et aussi… pourquoi elle continue.

L'appart n'est pas très grand, mais ils y sont bien. Ses parents ont dit d'accord pour payer la moitié du loyer, de toute façon ils peuvent, et largement. Mais elle aimerait tellement pouvoir se passer de leur argent.

Elle balaie ses fiches d'un revers de main, se lève et va s'avachir contre Jules. Il enlève son casque, l'enlace, attrape machinalement une de ses tresses et l'entortille entre ses doigts.

– Qu'est-ce qui se passe ? T'as pas l'air bien ?

– J'arrête.

– T'arrêtes quoi ?

– Le Droit. J'y arrive plus. Ça fait un moment que j'y pense, tu sais.

– Oui, mais pourquoi maintenant ?

Lucie triture les franges d'un coussin, tire dessus jusqu'à la déchirure.

– Tu sais ce que cette connasse de droit constitutionnel nous a balancé aujourd'hui ?

Elle n'attend pas de réponse et mime, visage pointu et méprisant :

– « Vous aviez des hobbies ? Vous aviez des amis ? Des amours ? Des *avis* ? Oubliez tout. Vous n'êtes pas là pour réfléchir mais pour apprendre ! »

Jules sourit.

– Tu me crois pas ?

– Ben si.

Lucie s'avachit encore un peu plus dans le moelleux des coussins.

– Je pourrais bosser.

– Tu veux ?

– Je sais pas ! Je sais pas ce que je veux faire ! Mais le Droit, c'est... j'ai même pas vraiment choisi, Jules. Tu le sais.

Le Droit, comme papa.

– Plus j'avance et plus ça me semble absurde. Les lois, la justice, tu cautionnes ou tu joues, c'est tout. Et si tu voyais les connards avec qui je suis en cours... Toi au moins, à la fac, tu rencontres des gens sympas. Regarde Jeanne, Alison, elles sont super. Moi je me sens tellement...

Elle cherche les mots justes en levant les yeux pour ne pas pleurer, serre ses genoux sous sa grande jupe.

– Tellement là où je suis censée être ! Tellement là où on attend que je sois. Voilà. Quand on discutait dans le parc, l'autre jour, c'était horrible : je me disais que j'étais la seule à faire un truc aussi... moche.

– Arrête...

– Si ! Même le chômage de Tonio m'a paru plus enviable que mes cours de Droit.

Jules la dévisage, entre inquiétude et douceur. Il hausse les épaules.

– Alors lâche. T'as raison, fais autre chose.

– Mais ils me fileront plus une thune si je fais ça...

En même temps qu'elle le dit, elle *comprend*, et Jules aussi, alors ils se mettent à rire ensemble : c'est exactement ce qu'elle veut, exactement ce dont elle a besoin.

ENVOL

Basile vole. Dans le matin, dans un reste de nuit, contre un mur au crépi friable, sous un toit qui a besoin d'être retapé. Le baudrier lui ceinture les hanches. Le cliquetis familier des mousquetons de sécurité résonne sur son ventre. Mèches au vent, parce que le casque… bah, c'est chiant. Puis il se trouve moins beau avec. Et Basile aime se sentir beau, même au douzième étage du dos d'un immeuble, alors que personne ne le regarde. Une petite faiblesse, un jeu avec lui-même, des histoires qu'il s'invente, des regards qui viennent trouer le ciel pour mater ses efforts et sa jolie gueule. En plus, il pense à Jeanne, alors c'est un peu comme si elle était là. Il se hisse au-dessus de la ville, animal étrange, tarente cachée derrière un volet.

Basile vole. Dans le froid de l'hiver, sous les effluves de vent mouillé, entre ville et vide. Il pense à Jeanne : un coup de chaleur dans le bas-ventre, le plexus, et même le long des bras, tendus par l'effort. *Tomber amoureux :* une chute, un cassage de gueule monumental. Basile aurait plutôt l'impression de décoller vers les hauteurs, comme lorsqu'il vole en sautillant contre un immeuble, mais sans effort.

Hier soir, il a bu tard avec Marc et Tonio. Il aurait aimé leur parler d'elle, mais il s'est senti con, il a pas osé. Peut-être aussi qu'il voulait la garder pour lui, au chaud dans sa tête et sous sa peau, comme un secret.

Basile a toujours aimé la légèreté. C'est pas pour rien qu'il fait ce boulot. Et la chute, celle qui vient après, il l'a pas trop connue. La légèreté, c'est bien. C'est doux, flottant, et pas trop dangereux… si on est bon acrobate.

Basile vole. En descente, corde tendue au-dessus de lui. Se rapproche du but, de la fissure qui crève le mur, celle qu'il doit colmater.

Jeanne…

Elle le chahute vraiment, cette fille, marrante et curieuse, avec sa colère qui couve sous chaque débat, son enthousiasme, et son corps aussi qu'il imagine sans fringues, sous son corps à lui, et dessus aussi ; son imaginaire fécond lui offre quelques insomnies délicieuses. En prévision de la suite, qu'il espère proche.

Basile est doué pour les pirouettes, en vol ou au sol, et ça énerve les autres, parfois. Marc s'agace souvent de sa dialectique virevoltante qui noie l'autre dans de fausses logiques, pourtant imparables ; il donne si bien l'illusion d'avoir raison, même quand il a tort… Souvent, leurs débats se perdent dans un dernier verre, Marc lâchant un *Ça tient pas la route, ton truc !* qui signifie qu'il abandonne la partie.

Jeanne…

Il aimerait bien penser un peu moins à elle, et la toucher un peu plus. Il repense à son immobilité au milieu de la foule en débord, à son rire dans le parc, aux gerçures de ses lèvres qu'elle humidifie et mordille. Il se demande comment elle s'est blessée pour avoir cette petite cicatrice, sous l'œil. Basile avale sa salive en cherchant une prise ; c'est sec dans sa bouche comme avant un grand saut en rappel. Son cou, son cul, ses hanches, ses yeux.

Il loupe sa prise, jure et s'agrippe. Reprend son avancée en pas d'araignée. *Son cou, son cul, ses hanches, ses yeux.* Poésie de maçon voltigeur. Le problème, quand Jeanne a posé son regard sur lui et qu'elle y est restée, c'est que Basile a eu l'impression d'être à poil, direct. Nu comme un gamin, le cœur en transparence, accéléré.

Quand il atteint enfin la plaie dans le mur, il évalue l'étendue du problème, le nombre d'heures que ça va lui prendre. Grimper, descendre, voler et réparer, c'est son boulot : il connaît bien, il sait faire. Peu de gens peuvent le faire, ce travail, à cause du vertige. Lui, il n'a pas peur. Le vent le fait vaciller, mais juste un peu. Ici, Basile est doué, grand, invincible ; il prend de la hauteur et mate la ville comme un super-héros volant. Après, il glisse son bras vers sa ceinture, là où balance son matériel, et il se met au boulot.

Basile vole pour ne pas tomber, amoureux et sans casque, parce que le casque c'est chiant – et il est plus beau cheveux au vent.

RETOUR AUX SOURCES

Marc ne parle jamais de ses parents. Basile un peu de sa mère, c'est tout. Ali, en revanche, cite son père à chaque fois qu'elle a besoin d'un exemple comparatif pour citer un connard. Jeanne, elle évite. Les parents, c'est une sorte de zone tabou, qu'elle laisse en lisière, dans l'ombre. Et pourtant, comme une corde raide et solide, impossible à couper sauf à l'usure…

Assise dans un fauteuil violet en velours râpé, dans le sens de la marche, Jeanne fait le trajet en train pour rentrer chez son père un week-end entier. Oui : *rentrer* chez son père, et pas *aller* ; il reste du boulot avant la libération.

En train, impossible de faire quoi que ce soit. Qu'elle prenne des livres ou du travail, le défilé la happe, l'embarque en pensées diverses et bondissantes. Dans le silence ronronnant d'un wagon, elle est incapable d'autre chose que rêver. Le paysage s'étire en travelling de quelques heures, jusqu'à devenir familier.

Elle ne sait pas exactement à quel moment ça se passe. Au passage en gare de ce village anonyme peut-être, ou à la vue des grandes usines qui ne fument plus, massives et inutiles, au-delà des champs ? Au bout d'un laps de temps interne qu'elle ne sait pas vraiment identifier, Jeanne traverse la frontière invisible qui sépare ses mondes. Les gares s'égrènent au fil d'un paysage revêche ou saisissant selon l'heure du voyage, ses émotions ; selon le découpage. Le train s'arrête dans chaque petit village, des zones presque mortes, désertées, parce qu'il n'y a rien à y faire. Certains sont restés pourtant, quelques copains qu'elle ne voit déjà plus, chômeurs souvent, vivant encore chez leurs parents. Dans les yeux de Jeanne, en décrochage : champs – forêts – béton – lignes à haute tension – ruminants – corps de ferme abandonnés – arbres griffus le long des voies. Sa rêverie sublime le décor, devenu annexe.

Son père l'attend sur le quai, dans son trois-quarts en cuir, épaules voûtées sous la bruine, boucles mouillées collées aux tempes. Sa jambe raide, la gauche, lui confère une silhouette unique que Jeanne reconnaîtrait parmi des centaines. Elle marche vers lui, gênée par ce regard d'amour et de fierté posé sur elle. Arrivée à sa hauteur, elle lui sourit. Il pose ses mains sur ses épaules, l'attire à lui et la serre.

– Ma fille.

Constat, amorce, mot d'amour.

Jeanne ne dit rien, elle. Un peu nauséeuse à cause du train, troublée par leurs retrouvailles et par ces nouveaux rituels qui se dessinent, maintenant qu'ils ne vivent plus sous le même toit.

Dans la voiture, elle lui parle de ses nouveaux copains, des manifs – les expulsions qu'ils tentent d'empêcher, la grève qui menace. Il écoute, acquiesce de temps en temps, fronce un sourcil.

– Vous refaites 68, quoi…

– Tu te moques, ça m'énerve.

Il se marre en passant la quatrième.

– Mais non, je me moque pas. C'est juste que ça y ressemble, vos comités autogestionnaires et vos débats sur l'impérialisme, le grand Capital et tout. J'ai rien contre, Jeanne, et puis ça te ressemble bien, de vouloir faire la révolution. Je trouve ça intéressant que tu réfléchisses à tout ça, je te promets.

– Mais toi, tu t'en fous ?

Il soupire en secouant la tête. Lorsqu'ils arrivent devant la maison, à moitié planquée dans la verdure, elle s'aperçoit que l'automne a étendu son feu sur une bonne partie de la forêt, tout autour. Un mois qu'elle n'est pas venue.

– Attends, laisse-moi me garer avant de m'agresser…

Elle perd le fil du débat pour sortir son sac du coffre et entrer dans la maison. Il y fait chaud comme sous une couette. Elle en oublie un moment sa colère et laisse son père leur préparer à manger. Il aime cuisiner. Enfant, elle apprenait les mots comme une bouillie magique : *couper, tailler, trancher, émonder, faire revenir, blanchir, réserver, rissoler, malaxer, étaler, saler, poivrer, épicer, goûter*… Poésie de cuistot. Elle aime le regarder faire, joyeux et concentré. Il lui arrive de l'aider, quelquefois. *Quand tu veux bien que je t'apprenne quelque chose*, il dit.

Lorsqu'elle cuisine avec son père, Jeanne n'a pas vraiment l'impression de préparer à manger, mais de réaliser une œuvre. La nourriture mute en mets entre ses doigts, elle ne pense à rien d'autre. Ce soir, elle préfère l'observer en boulottant des olives.

Après le repas, vieille habitude qui les rattrape, ils se coulent l'un et l'autre dans du moelleux, fauteuil pour lui, canapé pour elle. Chacun son bouquin et ils parcourent leurs mondes en silence, proches et lointains.

Mais ça ne dure pas. Trop de choses la remuent, l'envahissent. Et, toujours, ce besoin d'aller le chercher dans ses retraits. Cet insupportable besoin de le rallier à sa cause la chatouille à nouveau.

– Non mais sérieux, papa, ça te choque pas, toi, qu'on licencie six cents personnes d'un coup en les laissant sur le carreau ? Les mecs sont en grève depuis des semaines, et tout le monde s'en fout !

Il continue sa lecture. Alors elle s'entête, titillant les failles :

– Travailler comme un con par exemple, jusqu'à se *blesser*... et survivre avec un pauvre *dédommagement*, tu trouves ça normal ?

Il se tend comme sa jambe raide, et soupire sous la volée de mots... qui ne s'arrête pas :

– T'as jamais eu envie de te battre ? De te mettre en colère ? Je sais pas, moi, même au-delà de toi, quand tu te rends compte qu'un quart du monde bouffe sur le dos du reste, ça te donne pas envie d'autre chose ?

Il ne lève même pas la tête mais semble réfléchir et... se met à fredonner :

– « Mourir pour des idées, d'accord, mais de mort lente... »

Brassens : l'arme fatale, la caution moustachue.

– Trop facile !

– Ah non. C'est pas si facile, de planer au-dessus du monde. Ne pas prendre part au conflit, observer une calme indifférence, résister à la colère...

– Ça me rend dingue, quand tu dis des trucs comme ça.

– Mais tu es comme moi, louloute. Tu verras. La liberté, la révolution... c'est compliqué, tu sais. Tu y viendras, ma rêveuse, au survol aérien.

– Non. Je veux pas être indifférente, je veux pas m'enterrer dans un trou avec des bouquins comme si le reste du monde n'existait pas. Et toi, toi... Faut vivre un peu, papa !

Il se ressert un verre de vin, un sourire aux lèvres. Pas méchant, le sourire, même pas moqueur.

– Il y a de la vie dans les livres, tu sais.

Elle lui en veut.

Elle ne veut pas qu'il ait raison, même si elle aime les livres presque aussi fort que lui.

– Tu lis quoi, en ce moment ? il lui demande sans lever les yeux de son pavé.

– *Boule et Bill* ! elle grogne en replongeant dans *Crime et Châtiment*.

Elle relit trois fois la même phrase, de dépit. Puis, balançant ses trois kilos de Dostoïevski à côté d'elle, sur le canapé :

– Pourquoi tu restes enterré ici, papa ?

Il soupire, pose son bouquin, tranche ouverte, sur sa cuisse.

– Tout est question de langage, Jeanne. Tu donnes une nature aux choses en les nommant.

– Qu'est-ce que tu veux dire, là ?

– Tu peux entendre : *Seul comme un rat, enterré dans sa cambrousse*. Mais tu peux aussi choisir : *Solitaire qui médite dans un décor champêtre*.

Jeanne sourit, s'apaise sous la démonstration.

– Mais au final, c'est quand même pareil, non ?

Il secoue la tête, comme si un poids énorme pesait soudain sur eux, et qu'il aimait bien ça.

– Non, justement pas. Le pouvoir des mots est immense, tu sais. Il transforme la nature des choses, la façonne. C'est pour ça que je me méfie des idéologies… et des idéologues.

Elle grogne. C'est trop abstrait : pas envie d'entendre ça, même si elle perçoit, de loin, la pincée de sagesse qu'il lui balance comme du sel par-dessus l'épaule – protection enfantine contre le diable. Jeanne n'a pas envie d'être sage. Et puis s'il croit qu'il va éluder la question…

– T'as pas répondu : pourquoi tu restes ici ?

– Pourquoi j'en partirais ?

– Y a rien ni personne, ici. T'es toujours seul.

– J'aime être seul, Jeanne. Tu me manques depuis que tu es partie, mais je n'ai pas *besoin* de compagnie. J'aime *ta* compagnie. Et quand tu n'es pas là… je bricole, je lis des livres. Et j'ai la forêt, Jeanne, la forêt !

– Mais putain, papa ! T'es pas un troll ! La *forêt*, sérieux ?!

Il se marre.

– Ah, mais je fais des super rencontres, en forêt. Figure-toi que la semaine dernière, je me suis retrouvé nez à nez avec un cerf ! La conversation avec un cerf, c'est quelque chose !

Il a cette façon de ne rien prendre au sérieux, alors même qu'il transpire d'une tristesse sourde, alors même que sa vie entière confine à la gravité sans fond des grands solitaires. Merde ! Combien d'années encore avant qu'elle accepte son père tel qu'il est, qu'elle n'essaie pas de le faire sortir du bois ?

– Quand maman est partie…

Il enlève ses lunettes de lecture, tient la branche fine entre pouce et index qu'elle imagine tremblants – une faiblesse qu'elle invente, parce qu'en réalité sa voix est ferme lorsqu'il la coupe :

– Tu veux vraiment parler de ça ?

– Elle a fait une erreur impardonnable, papa ! Une énorme erreur !

– *Errare humanum est*…, il chuchote en souriant, attendant qu'elle termine.

– … *perseverare diabolicum*, elle conclut – ils jouent à ça depuis toujours.

– Oh, tu sais, le Diable, c'est une vue de l'esprit. Parle-moi de ton nouvel amoureux, tiens. C'est plus intéressant que la vie de ton vieux père.

Elle mâchouille un truc genre *C'est pas mon amoureux, on n'est même pas ensemble,* mais son niveau de crédibilité s'effondre en même temps que son visage se déforme : lutte inégale entre agacement et joie qui déborde.

– Il est tatoué ?

– Non !

– Percé ?

– Non !

– Repris de justice ?

– Papa !

– Junky ?

– Papaaa !

– Chanteur dans un groupe de punk ?

– Mais non !

– Je sais : c'est une fille !

Elle soupire, secoue la tête.

– Ben il est quoi, alors ?

– Anarchiste.

– Ah, tu me rassures. J'ai cru qu'il était normal. Étudiant, poil aux dents. Chiant, quoi.

*

Le dimanche soir, avant de partir prendre son train, elle avise la vieille veste de son père, accrochée dans l'entrée. Jeanne enfonce son visage dedans, respire à pleins poumons l'odeur des bois et du vieux papier journal humide, de son après-rasage ambré. Et puis elle s'en arrache, un peu honteuse, et file jeter son sac dans le coffre de la voiture.

Pendant le trajet jusqu'à la gare, ils ne se parlent pas. Son père lui jette parfois un regard qu'elle ne parvient pas à lire. Elle goûte ce long silence qu'elle connaît bien, en déguste la relative saveur, toute l'amertume d'une habitude.

Sur le quai, il dit :

– Reviens plus souvent.

COLLAGE SAUVAGE

La nuit ajoute toujours un peu plus d'adrénaline à l'aventure. La nuit ils sont furtifs, illégaux, tendus. Rendus obscurs eux-mêmes, foulards et bonnets descendus sur les yeux, en étendards de gravité.

Sur leurs tracts, un grand classique : BIG BROTHER IS WATCHING YOU ; le dessin d'une caméra de vidéo surveillance pointée sur les passants – absents à cette heure. Ils collent en silence, recouvrent les murs de la ville. Jeanne aime beaucoup repasser au balai les grandes traînées de colle liquide, lorsqu'ils tapissent d'improbables recoins de murs, en hauteur, là où les nettoyeurs ne vont pas, là où seuls le temps et la pluie finiront par venir à bout du message. BIG BROTHER IS WATCHING YOU.

Des caméras de surveillance, partout dans la ville. Partout dans les villes. On parle de drones, aussi, faisant bientôt passer les romans d'anticipation pour des essais de société. Un œil géant qui observe tout et tous.

— J'ajoute quoi, là ? demande Jeanne à Basile, qui tient le seau.

— T'as mis la soude et la farine ?

— Oui, et de l'eau.

— Ben, rajoute encore un peu d'eau.

— C'est tout ?

— Ouais.

– C'est dégueu.

– C'est de la colle, quoi.

Jeanne touille avec un manche à balai la mixture gluante au fond du seau. Il la regarde faire, un peu railleur.

– On dirait que tu fais de la pâte à crêpes !

– Parce que toi, petit génie, la première fois que t'as fait de la colle artisanale, t'as assuré comme un pro, bien sûr ?

– Évidemment !

Elle fait mine de lui jeter la colle au visage, mais il esquive et recule, bouscule Marc.

Lucie, Jules et Tonio surveillent les alentours. Basile déplace le seau dans lequel, à tour de rôle, Jeanne, Alison et Marc plongent leurs balais et leurs gros pinceaux. Ça coule le long du manche, Jeanne en a déjà plein les doigts, des résidus se solidifient sur sa veste. Ça lui est égal. Traces, preuves, morceaux de son appartenance à la lutte, même dérisoires : elle prend.

Une vie différente implique aussi un monde différent. Par quoi commencer, en premier ? *À l'envers et dans le désordre*, elle pense, et ça la fait sourire, comme le désordre de son cœur, qui prend une place dingue, presque toute, dès que Basile la frôle. D'ailleurs il la frôle souvent, comme un pas fait exprès. Jeanne s'affole et frissonne du dedans, se dit que peut-être, mais tous deux prolongent, entretiennent le doute – incapables de lâcher les pirouettes d'humour qui font briller leurs yeux. *Après*, ce sera plus compliqué.

– Hé, Cat's Eyes, t'as pas vraiment le compas dans l'œil, hein ?!

– Quoi ?

– Ben, ton affiche, faut se dévisser la tête pour la lire !

Basile se met à sautiller, l'oreille collé à l'épaule :

– Non mais attends, c'est marrant, ça pourrait être un nouveau signe de reconnaissance ! On laisse tomber les masques d'Anonymous, les keffiehs, tout ça… Nouveau truc pour se reconnaître dans les manifs : la tête tordue sur le côté !

– T'es con !

Les autres se marrent, penchent la tête sur le côté eux aussi, écarquillant les yeux comme des zombies.

– *Big brotheeeer…*

– *Is watching yoooou…*

– Oh ça va, hein ! J'ai juste pas super bien centré celle-ci !

Le fou rire collectif gagne Jeanne. Elle fait semblant d'être vexée, lance une claque vers Basile, qui esquive et lui attrape le poignet – qu'il lâche tout de suite, comme si ça le brûlait. Regards brouillons, brouillés, et puis fuyants. Les autres ont démarré une sorte de danse de Sioux, la tête toujours penchée.

– Y a pas un animal qui se déplace comme ça ? demande Marc, hilare.

– Tu veux dire, un animal handicapé ? enchaîne Basile.

C'est reparti : ils rient, gosiers ouverts sur la nuit, corps tordus pour une danse improbable ; Jeanne s'y met elle aussi. Sur les grognements cadencés de Marc, qui frappe dans ses mains, elle fait des bonds sur elle-même, pousse Alison à coups d'épaule, comme en pogo. Basile n'a pas lâché son rôle de zombie, il se colle à un grillage et grimpe comme un singe, les yeux exorbités, la langue sortie. Il émet des râles d'agonie qui font hurler de rire ses potes, alors il ne risque pas de s'arrêter. Lucie tourne sur elle-même, ses tresses s'envolent, et Jules se déhanche de travers en la regardant tournoyer.

Tonio, forcément, se met à chanter une reprise très personnelle de *Baby, I Am An Anarchist*. Et Ali secoue la tête, traversée par des sursauts qui ressemblent à de la transe. Son sourire rouge vif brille fort dans la nuit. Ça dure un moment, comme ça, avant qu'ils se calment.

Après, ils collent toutes les affiches de travers, exprès.

– Les gens seront obligés de prendre la position du « colleur tordu » pour la lire ! s'écrie Marc, et Basile mugit en retour, toujours perché sur un muret.

– Ça va, tu peux descendre maintenant.

– Gnaaaargh !

– Putain tu sais pas t'arrêter, t'es chiant.

Les autres se marrent, à cause du numéro de duellistes.

– Vas-y, descends, merde !

Mais Basile longe le muret, à trois mètres du sol, les bras tendus devant lui, les yeux révulsés. Jeanne ne rigole plus : elle trouve ça débile et elle a peur qu'il tombe. Alors elle lui lance :

– Tu fais des heures sup, Basile ? Ça la fout mal pour un anar, non ?

Il ouvre des yeux surpris, dégringole avec une souplesse étonnante le long du muret et atterrit sur ses deux pieds, pile poil en face d'elle.

– Des heures sup ? Tu déconnes ? Attends, mais d'habitude je grimpe sur des trucs beaucoup plus hauts ! Là, c'est de la rigolade.

– Oui oui, bien sûr, Spiderman.

– Tu me crois pas ? Putain, elle me croit pas ! Marc, dis-lui que…

– Rien du tout.

– Non mais elle me… Tu me crois vraiment pas ? Je peux te montrer, si tu veux !

– Non ! C'est bon, Basile, je te crois.

– Un autre jour, la varappe *by night*…, coupe Tonio. On va boire un verre chez Slimane ?

Les autres acquiescent, unanimes. Sauf Basile qui, tout de même, aurait bien aimé grimper encore plus haut pour impressionner Jeanne.

Slimane est sans âge, mais il a l'indulgence des très vieux et l'enthousiasme des très jeunes. Son bar ressemble à une arche où se côtoient petites fouines, crocodiles et hiboux, la faune nocturne du quartier. Il traîne ses moustaches d'une autre époque au milieu des buveurs, offre des verres sans logique apparente, et, lorsqu'il veut vider son bar, envoie du Moustaki sur sa platine. Bien sûr, il reste toujours quelques irréductibles et deux ou trois nostalgiques à cheveux blancs qui adhèrent au comptoir en chantant, larme à l'œil, mais ça éclaircit les troupes.

On raconte que Slimane était au FLN. On raconte qu'il a changé d'identité. On chuchote qu'il a une femme – sublime – mais personne ne l'a jamais vue. Plusieurs filles, mais elles non plus, personne ne les connaît. Certains disent qu'il a tué… des soldats français ? Des types de l'OAS ? On sait qu'il a des *contacts* et qu'il a fait pousser quelques fleurs de ce Printemps arabe qui bat de l'aile – et ça le rend triste. On parle aussi d'un qui aurait voulu lui voler sa femme. Il lui aurait coupé la langue. Slimane est un haut lieu d'histoires, de faits clandestins.

Un clin d'œil à la troupe qui s'avance tandis qu'il empile les chaises.

– Je ferme la terrasse, là. J'ai eu les flics la semaine dernière. Entrez : on va descendre le rideau.

Ils s'engouffrent à l'intérieur ; il y fait chaud et ça pue le tabac froid : Slimane n'a jamais pu s'habituer à l'interdiction, alors il fournit des gobelets d'eau aux fumeurs – *Ben quoi ? C'est pas des cendriers !* – et si les flics se pointent… *hé ben, qu'ils se pointent !*

Le nez dans la mousse de leurs bières, les sept savourent l'instant et la satisfaction d'une opération réussie. C'est Marc qui ouvre la première brèche :

– Bon, vous savez qu'on va quitter notre squat, tous les trois.

C'est pas une question ; les autres attendent la suite. Marc les regarde tous un par un, pose sa bière et croise les bras.

– Ça vous dirait d'en ouvrir un nouveau, ensemble ?

Tonio et Basile ne répondent pas, puisqu'ils participent à la question. Ils ont dû en parler ensemble, déjà. Tous trois fouillent dans les yeux des autres une étincelle d'envie.

– Nous sept ? demande Jeanne.

– Oui.

Un silence radieux et plein de questions muettes flotte au-dessus de leurs verres vides. Tonio fait signe à Slimane, qui remet une tournée. En accord parfait, ils attendent le retour de leurs bières avant de trouer le silence. Autour d'eux, des tablées discutent et rigolent. Iggy Pop entonne *The Passenger*, et ça remue Jeanne jusqu'aux tripes. Désormais, elle associera toujours ce morceau à l'instant crucial, cet instant rempli d'électricité, de doute et de promesses, où l'énormité du virage les a tous sidérés.

Jules et Lucie se consultent des yeux. Ceux de Jeanne sautent d'un visage à l'autre, sans trop s'attarder sur celui de Basile. Alison boit sa bière en mode accéléré pour se mettre en condition, faire coïncider ivresse d'alcool et de vie.

L'idée se faufile dans la tête de Jeanne – en fait, elle réalise qu'elle germait depuis un moment déjà. De l'entendre, dans la bouche de Marc, c'est comme une libération. Une évidence. Elle a l'impression qu'on lui propose un tour du monde ; elle exulte au-dedans. De peur et d'excitation.

Marc est en train de parler, il explique à Alison :

– … mais à partir du moment où tu choisis l'illégalité, forcément tu prends des risques. C'est le jeu, si on peut appeler ça comme ça.

Alison sourit, l'aspect illégal ne semble pas la perturber tant que ça, même si elle questionne :

– Une fois qu'on aura changé les serrures, ils ne peuvent vraiment rien faire ?

– *A priori*, non. Ils sont obligés d'entamer une procédure.

– Et ça prend du temps, ajoute Tonio. On aura au moins l'hiver, et plus si on se débrouille bien.

Jeanne panique et rayonne en même temps. Changer les choses, choisir un chemin, changer de point de vue, se *décaler*. Elle sait, pourtant : d'autres ont essayé avant elle, avant eux. Et alors ? Ça veut juste dire qu'il faudra essayer encore plus fort, et faire mieux. Jeanne se sent comme un animal qui freinerait des quatre pattes pour ne pas aller à l'abattoir, mais en profiterait aussi pour décaniller vers la verdure et les grands champs. Elle veut décaniller vers les grands champs, elle aussi. Même si elle ne sait pas à quoi ils ressemblent.

Et puis il y a Basile. Plus proches. Oui mais. Elle joue avec le sous-bock, déchire le carton entre ses doigts.

Se voir tous les jours. Oui mais.

Le chat hérissé sur la main de Marc s'agite en même temps qu'il les englobe tous dans son enthousiasme :

– C'est par là que ça commence : par nous. Si on veut changer les choses, partager des choses, si on veut pas de la vie de merde qu'on nous impose, réussir, viser haut, chacun dans son coin et j'écrase la tête de mon voisin.

Tonio enchaîne :

– Et continuer de croire que le travail est une valeur absolue !

Basile enfonce le clou :

– Et puis je sais pas vous, mais payer une blinde pour vivre dans des cages à lapin…

Lucie valide timidement, à petits coups de menton :

– Moi, je suis d'accord. Et vu que j'ai décidé d'arrêter le Droit, autant dire que c'est une déclaration de guerre… mes parents vont couper les fonds. Plus rien pour payer la moitié du loyer.

– Je pourrai pas en payer deux, c'est sûr, renchérit Jules. L'idée me tente carrément.

Alison caresse des yeux les épaules de Marc, les rides de Tonio, les mains entrelacées de Jules et Lucie. Et puis elle plonge son regard dans celui de Jeanne, lance des messages d'anticipation joyeuse. Jeanne répond d'un immense sourire ; presque un rire, d'ailleurs.

Vivre en meute, avec les copains… Aucun d'entre eux n'a été préparé à ça : élevés dans le respect de la propriété, dans la peur des lois, dans l'idée que passer de seul à plusieurs c'est fonder une famille. Payer son loyer, travailler. Et pourtant, Jeanne le sent : elle est prête depuis longtemps, elle n'attendait que ça. *Ils* n'attendaient que ça.

Une vie différente.

Marc, convaincu et heureux d'être suivi par tous, annonce :

– Va falloir qu'on s'organise.

Et dans sa nonchalance habituelle, Basile éclate de rire et ajoute :

– Ça va être génial, d'habiter tous ensemble !

LES PORTES GRANDES OUVERTES

– Passe la pince.

– Ça suffira pas. Je commence au pied-de-biche.

– Fais pas de bruit…

– Ah ? Moi qui comptais brailler comme un putois. Tu me prends pour un con ?

– Merde, Marc, t'es lourd. Je disais ça comme ça.

Marc lance à Basile un regard d'orage amical et enfonce le morceau de métal entre la porte et le linteau. Les muscles de son cou saillent sous l'effort. Les autres matent la rue, en haut, en bas, et se dévissent le cou pour vérifier que rien ne bouge derrière les rideaux. Chez leurs futurs voisins.

– Et dans les étages ? s'inquiète Jeanne.

– T'inquiète, c'est complètement vide. *Maison de ville*, précise Tonio, sur un ton de grand bourgeois satisfait. On a vérifié au cadastre.

Maison de ville. Sûr qu'ils n'auront jamais les moyens d'habiter un lieu pareil, à moins de s'y installer en force.

Marc halète, pousse encore…

Un craquement terrible, lorsque la porte cède enfin.

Une fenêtre s'ouvre aussitôt, juste en face.

– Vous faites quoi, là ? gueule une voix d'homme.

Sa silhouette est penchée sur la nuit, épaules relevées, mains carrées posées comme des pattes sur le bord de la fenêtre. Une deuxième s'entrouvre, voisine.

La bande reste figée. Tonio réagit avant les autres :

– On vient pour violer tes enfants et bouffer ta femme, Ducon !

– J'appelle les flics !

– Ah mais t'es super courageux, toi ! gueule Basile.

– J'appelle les flics *tout de suite* !

– On ne fait rien de mal, Monsieur…, tente Lucie, apaisante. On a oublié nos clefs, c'est tout.

Jeanne éclate de rire malgré elle. Et se met à chanter :

– « Mais les braves gens n'aiment pas que…

– … l'on suive une autre route qu'eux ! » termine Basile.

– Vos gueules ! souffle Marc, tendu, le pied-de-biche à la main. Pas la peine de tout faire foirer à cause d'un connard !

Là-haut, l'homme semble hésiter. La deuxième fenêtre s'est refermée. Il grommelle un truc inaudible.

– Venez, lâche Marc. Le temps qu'il se décide à jouer au milicien, on visite…

Les sept se coulent à l'intérieur de la maison, un à un, anxieux et euphoriques.

– Ça pue !

– Normal, la baraque a pas été ouverte depuis des lustres.

Les voix résonnent dans la pénombre, ricochent dans ce grand espace vide.

– Une histoire d'héritage, explique Basile. Trois frangins qui se foutent sur la gueule. Il y en a qu'un qui veut vendre. Mais personne s'en occupe vraiment.

– Ils t'ont dit tout ça, au cadastre ? C'est dingue ! s'étonne Jeanne en avançant prudemment le long du mur.

– Une employée super bavarde, qui se faisait chier. J'ai dit que j'étais intéressé pour l'acheter, avec ma femme et mes deux gamins...

Un faisceau lumineux, deux, puis trois, se croisent dans le noir, à mesure qu'ils allument les frontales et les lampes-torches. Lumière blanche sous le menton, Basile grimace, le visage livide et déformé, en poussant des grognements. Marc sursaute.

– T'es vraiment trop con !

– Aaaah ! T'as eu peur ! Putain, j'y crois pas !

– N'importe quoi... Arrête tes conneries.

Jeanne étouffe un rire.

– Mes conneries font marrer les filles, et ça, tu vois, c'est la classe !

Marc sourit malgré lui. Il devine le rictus triomphant de l'autre imbécile, là, dans le noir – son frangin contraire, son ami.

– Passe devant, *terreur*, des fois qu'il y aurait du danger...

– Non, je t'en prie, après toi. J'assure les arrières !

Ils se bousculent, chahutent comme des gamins. Jeanne s'engage un peu plus loin, balayant l'espace avec sa torche.

– Bon ben salut les mômes, moi je visite, hein...

– Attends-moi, chuchote Ali.

Elle glisse sa main dans celle de Jeanne et les deux s'aventurent un peu plus loin.

Le rai lumineux se fige contre le mur, caresse les contours d'une peinture classique : une femme entre deux âges, visage rigide et regard méprisant. Collerette amidonnée, chignon sévère.

– Merde, ils ont pas viré la déco ! Regarde ça !

– Ça date, ça, non ?

– Dix-septième ?

– J'en sais rien.

Le reste du groupe s'approche. Basile fait une grande révérence :

– Madame la Baronne…

– Faudra virer ça…, propose Lucie.

– Surtout pas ! s'enflamme Basile. Moi, je l'adore ! Regardez comme elle nous mate : on dirait qu'elle veut nous dire des trucs…

– Les peintures de bourgeois, ça me met mal à l'aise. Comme si je devais comprendre un truc que je suis trop con pour saisir.

– Mais écoute-la, Tonio, au lieu de nous faire le complexe du prolo immigré ! Écoute ce qu'elle nous dit…

Ils se taisent tous, attendent la suite ; toutes les lampes sont braquées vers la Baronne.

Basile barrit soudain, faisant grincer sa voix pour imiter celle d'une vieille femme grincheuse :

– *Bande de… petits merdeux d'anarchistes ! Sale engeance ! Sortez de chez moi !*

Reprenant son timbre, il enchaîne :

– Non, Madame : nos plus plates excuses, mais on s'installe ! Le prolétariat, la plèbe, les petits cons sont ici chez eux. Tu vas voir nos culs terreux tous les matins !

La vieille semble réprobatrice malgré son immobilité, et les sept s'en amusent.

– Je crois que je l'aime bien, moi aussi, lâche Jeanne.

– *Hé bien moi, je ne t'aime pas du tout, fille perdue ! Dévergondée !* reprend la voix travestie de Basile.

– Madame la Baronne, je t'emmerde !

– *Oooh ! Mal élevée, en plus…*

Le groupe s'étiole dans la pièce, pour en trouver les contours. Elle est immense. Les faisceaux se croisent.

– J'ai trouvé l'escalier qui monte à l'étage…, annonce Jules.

La lumière de sa lampe de poche ne suffit pas à voir au-delà de la dixième marche. Il s'avance et bute dans un carton qui tinte.

– C'était quoi, ce bruit ?

– C'est rien, c'est moi ! Y a plein de cartons...

Jules s'accroupit et cale la lampe entre ses dents pour ouvrir un premier carton. Des verres. De toutes les formes, toutes les tailles.

– Mouais, c'est pas un trésor, désolé. On n'a pas déniché le magot du grand-père...

Jeanne s'est approchée. Elle sort un minuscule verre ballon.

– Moi, j'aime beaucoup.

La poussière vole dans la lumière tendue de sa lampe de poche. L'arrondi du verre le change en bulle mouvante, calé entre son index et son majeur. Jules farfouille dans les autres cartons.

– Bof. *« Qu'importe le flacon, pourvu qu'on ait l'ivresse »*, comme disait l'autre.

– Non, pas d'accord. Pas du tout d'accord. Ça change le goût des choses, l'emballage, figure-toi.

De l'autre bout de la pièce, Marc s'indigne :

– Ça, Jeanne, c'est un truc petit-bourgeois !

– Je m'en fous. C'est ce que tu veux ; moi, j'adore les contenants. Et le pinard est meilleur dans un verre comme celui-là que dans un gobelet en plastique à la fête de l'Huma. Les riches sont pas cons : ils savent ça. Mais ça les arrange que tu penses le contraire.

– Je suis bien d'accord..., murmure Lucie. Et je sais de quoi je parle.

– Hé, j'ai trouvé un truc marrant ! s'écrit Jules. On dirait un... Ouais, c'est un tourne-disque !... Et y a des tas de vinyles, aussi.

– Fais voir !

La voix de Tonio sort du noir, joyeuse et enrouée :

– Moi, je vais aller poser un verrou. J'ai l'impression qu'on va se plaire, ici.

Un bruit, dans la rue, leur impose le silence. Ils coupent leurs lampes. Chacun se retrouve seul sans la présence des voix amies. Souffles courts, ils respirent par le nez, bouche fermée. Peu à peu, leurs yeux s'habituent à l'obscurité, ils devinent les contours, la courbe de l'escalier. Le bruit s'éloigne – un moteur de voiture, sans doute. Une voix, dehors, les fait sursauter. Une voix toute proche. Une voix d'homme énervée, mais ils ne saisissent pas les mots.

Marc chuchote :

– Bougez pas, je vais voir.

Il s'approche lentement de la fenêtre, colle son corps au mur et lance des coups d'œil prudents vers la rue. Un type parle dans son portable. Le voisin peut-être, qui appelle les flics, les attend pour les guider jusqu'à eux ? Marc baisse délicatement la poignée de la fenêtre et tire, le grincement lui semble assourdissant. Mais le type lui tourne le dos, tout entier à son interlocuteur, la main en coupe sur l'appareil.

La voix, exaspérée, vole jusqu'à Marc :

– Non, tu ne dors pas chez ton copain, j'ai dit non ! Tu es encore mineure et c'est moi qui décide ! Je suis déjà dans la rue, là, je monte dans la voiture... Quoi ? Très bien : si tu n'es pas arrivée dans la demi-heure, je te préviens que c'est moi qui viens te chercher !

Marc soupire de soulagement, un rire nerveux l'attrape, qu'il refrène en refermant la fenêtre. Il rejoint les autres, sans rallumer sa lampe.

– Le voisin a lâché l'affaire, on dirait. Je vais essayer de trouver le tableau électrique... et on est chez nous, ajoute Marc.

Basile rejoint Tonio pour l'aider à fixer le verrou. Ils ont prévu le coup, et le nouveau penne bringuebale dans son sac, contre sa cuisse. Les deux se mettent au boulot en silence.

Les autres continuent la visite. Au premier étage : deux chambres. Au deuxième : deux autres, et une petite dernière, coincée sous les toits. Plus qu'il n'en faut pour les sept *visiteurs*. Une ancienne maison de maître, doucement tombée dans l'oubli et l'inutile, vide.

– Demain on verra mieux, à la lumière du jour.

– Y a pas un jardin ? demande Jules, qui rêve de petites bêtes grignotant les poutres.

– Si ! En tout cas sur les plans, on en a vu un, derrière la maison. Faut passer par la cuisine, en bas.

– C'est immense..., s'extasie Alison.

– Mais on se pèle ! ajoute Jeanne en frissonnant.

– T'inquiète, crie Marc du fond de l'appartement. J'ai trouvé ! C'est juste disjoncté.

La lumière jaillit des plafonniers, jaune et brutale.

Jeanne se frotte les bras et sautille.

– C'est grand, hein ! Avant que ça se réchauffe, ici...

La voix de Basile, railleuse, chuchote :

– Pour ce soir, on a des duvets. Et puis sinon, on se tiendra chaud.

Jeanne aurait préféré que les lumières n'éclairent pas tout, tout de suite. Elle serait bien restée encore un peu dans le confort des ombres protectrices.

LE CANAPÉ ROUGE

Faire les poubelles dans une grande ville, c'est un peu comme une chasse au trésor. Il y a toujours de quoi faire, et des quartiers qui charrient du presque neuf à longueur d'année. Même s'il y a aussi des concurrents dans cette course à la trouvaille : d'autres squatteurs, d'autres dénicheurs d'objets, glaneurs fauchés qui ne reculent pas devant les bennes puantes pour récupérer du mobilier à peine utilisé, des fringues portées une saison ou des chaussures tout juste passées de mode. Ça coexiste et ça se fait des politesses – ou pas. La grande misère côtoie l'étudiant précaire, qui abandonnera volontiers les vieilles fringues à la Rom sans dents, mais s'accrochera en grognant à la jolie table basse en bois blanc ou aux étagères branlantes dans lesquelles il imaginera enfin ses 300 bouquins de poche ailleurs qu'en piles le long d'un mur.

Basile et Jeanne portent un grand canapé, très mou et à peine déchiré, d'un rouge prometteur. Ils traversent la ville avec leur trésor jusqu'à l'angle de la rue Tiers, où Jeanne demande grâce. Ils posent leur chargement et s'affalent dedans. Les passants les regardent avec curiosité, certains avec agacement et un léger dégoût. Jeanne soutient leur regard, prête à sauter à la gorge du premier qui oserait une réflexion. Parce qu'elle a mal aux bras, d'abord, et parce qu'elle est fière de ce qu'ils font ; fière et furieuse après les *autres*, qui galopent pour toujours plus de pognon, balancent aux ordures des objets neufs et en rachètent sans arrêt de nouveaux.

C'est étrange d'être installés, là, au milieu du chaos citadin, comme dans un salon. Une bulle intime posée dans un contexte improbable ; presque un tour de magie.

– Oh ! Vous dégagez, là ! Vous vous croyez où ?

Le patron du restau d'à côté crève la bulle et leur lance des regards furieux, mais ne s'approche pas trop non plus.

– On dérange ?

Basile, sourire provocateur et jambes étalées sur le trottoir, regarde Jeanne qui a ramassé les siennes sous ses fesses et se love dans l'angle du canapé. Elle secoue ses cheveux, provoque Basile pour un nouveau jeu.

– Je me sens un peu fatiguée… On est bien, ici, non ? Allume la télé, chéri, je voudrais voir les infos.

– Tout de suite, ma cocotte en sucre, attends, je zappe un peu sur le match, d'abord.

– Oh non, pas le match ! T'iras le voir avec tes copains de bureau, à l'after-work !

Certains passants s'arrêtent, s'amusent de cette saynète improvisée, îlot de fantaisie planté dans leur chemin quotidien.

– Attends, laisse les infos deux minutes !

– Deux minutes, hein, pas plus, parce qu'après ça fait mal à la tête.

– T'as raison, et puis regarde-moi tous ces pauvres qui se plaignent de la crise alors qu'ils se bougent pas le cul pour aller bosser…

– M'en parle pas, ça me rend malade… Tu me passes le foie gras, mon chou ? Et puis zappe !

– Oh, regarde, y a cette émission que j'aime bien, où ils relookent des filles jolies en pouffiasses !

– Ah oui, moi aussi j'adore ! Au début elles sont un peu fadasses…

– Et après, elles sont pires !

– Un peu comme la dame, là…

– Basile, arrête !

Les deux se marrent, dévisagent leur public qui, un peu gêné, s'essaime doucement. La dame en question les toise. Ils s'en foutent.

Basile coule un regard vers Jeanne, tête avachie sur le haut tout mou du divan. Ils apprivoisent le mobilier, l'air de rien. Pensent à la même chose. À ce qu'ils ont encore loupé hier soir, peut-être. Le regard se prolonge un peu, jusqu'à…

– Bon, c'est fini vos conneries ?! Vous dégagez maintenant ! braille le patron, déjà plus téméraire, planté devant eux. Vous gênez la clientèle, et y a les flics juste à côté ! Je les appelle ?

Jeanne soupire, ignorant le type.

– Putain, c'est une habitude dans le coin.

– On y va ? Tu te sens de repartir ?

– Mais oui, je suis très forte en fait, c'est juste que j'avais envie de faire une pause.

– Mater un peu la téloche…

– Saluer les voisins, tout ça…

Ils se lèvent et empoignent le canapé, entament la descente vers leur nouvelle maison. Jeanne, les bras sciés par trop de poids – mais pas question de l'avouer – reprend :

– C'est vraiment chaleureux ce quartier, je sens qu'on va se faire plein d'amis !

MANUCURE

Dans la lumière du jour, la chambre rayonne de poussière et d'espace. Alison est assise sur un matelas posé au milieu de la pièce. Pas un clapier. Une chambre immense, plus grande que le salon de chez ses parents.

Ses petites mains nerveuses caressent le parquet. La lumière se glisse partout, illumine les murs blancs. Elle a récupéré ses affaires à la cité U, vidé les 9 mètres carrés de tout objet personnel. Alison trouve la vie radicale, pleine de chemins à prendre à 180 degrés. Dans la famille, elle est la seule à avoir eu le bac. Son père répète à qui veut l'entendre que ça ne changera pas grand-chose et qu'elle finira, comme tout le monde, à Pôle Emploi. Même s'il a sûrement raison sur ce coup-là, elle ne digère pas que ça le fasse rire. Que ça l'amuse, ses efforts pour ne pas finir comme ses cousines, mariée à un connard et préoccupée par ses ongles. Rose fushia, les siens, posés bien à plat maintenant sur la couette – mais écaillés, parce que depuis quelque temps elle a franchement autre chose à foutre que de la manucure.

N'empêche, elle aime bien ça malgré tout, et se promet de les refaire bientôt : héritage familial, on ne peut pas tout renier. Elle pense à sa mère, grasse et effacée, sous le joug du *gros con*. Tellement persuadée de sa nullité, sa mère. Tellement loukoum, femme en gelée, luisante de sueur lorsqu'elle revient des courses, croulant sous le poids des sacs Lidl – essoufflée, victorieuse. Mais les ongles impeccables. Rose, rouge, violet, nacré, et même parfois, comme un retour en enfance qui se limiterait aux mains dans ce gros corps qui déborde, elle se colle au bout des doigts des petits papillons brillants.

Alison sent une montée d'émotion lui barbouiller la vue, qu'elle refoule immédiatement. Pas question de se laisser attendrir par le souvenir de sa mère, pour ses six ans, en train de peindre ses petits ongles à elle, changeant de couleur à chaque doigt. Pas question de repenser à son père rompant l'instant avec la brutalité d'un bœuf de labour :

– Tu crois vraiment que ça va la rendre jolie, de la déguiser en pute ?

Pas question…

Ali ravale son bout de tristesse et serre les poings, ongles cachés contre ses paumes. Et puis elle rejoint les autres, en bas.

SANS RÉSERVE

Des bières
Un rouleau de fil électrique – sans le fil électrique –, grand modèle, piqué sur un chantier, qui fait une table basse géniale
Un canapé noir en cuir, déchiré de partout
Des bières
Un canapé rouge très mou et très doux, avec un accoudoir qui part en sucette
Un fauteuil Empire, glaçant de velours vert sombre
Un fauteuil club, profond et râpé jusqu'à la paille
Un fauteuil creusé et confortable à l'excès, orange, taché d'encre
Des bières
Des casseroles, plein
Des verres – encore plus
Des assiettes
Du vin
Trois étagères en bois genre *Ikéa*, qui ont fait douze déménagements
Un tourne-disque énorme, noir et magnifique, lourd comme un enfant de première année de maternelle
Des enceintes hautes comme un enfant de CE2
Des bières
Des dizaines de 33 tours

Cinq matelas

Une table de cuisine, un pied fraîchement réparé par Marc

Des bières

Des livres, entassés dans des cartons, le long du mur

Des ordinateurs, plusieurs, tours pesantes et portables dernier cri, histoire de brouiller les pistes, en suivre certaines et en pirater d'autres – spécialité de Marc

Des bières

C'est ce qu'ils ont amassé, au fil de la journée : en fouillant les poubelles, mais pas seulement. Il y a ce que Marc et Tonio ont récupéré dans leur ancien squat, et ce que Jules et Lucie ont apporté de chez eux. Il y a aussi les duvets, couettes, oreillers, lampes, sacs à dos et fringues, disséminés avec les matelas dans les chambres. Ce qu'ils ont trouvé sur place, aussi, oublié par les propriétaires. Et puis la bière et le vin, bien sûr, qu'ils ont achetés chez l'épicier en mettant leur ferraille en commun.

Effrayés par le rayonnement des ampoules, avides de retrouver dans la maison la complicité de l'ouverture nocturne, ils ont allumé des bougies, collées un peu partout au cœur d'assiettes à dessert d'un autre temps, dont les scènes champêtres tremblotent doucement.

Les cartons vides et huileux de pizzas s'entassent près du tourne-disque, qui frotte et chante un vieux King Crimson, *Just A Poke*, la pochette les a fait marrer – le côté psyché des années 60. Comme le disque s'achève, Tonio en met un autre, qu'il pose délicatement sur la platine. Avec une précision étonnante pour ses grandes mains de buveur, il insère le diamant entre deux rainures du 33-tours, et la voix s'élève, chaude et passée :

La butte rouge, c'est son nom, l'baptème s'fit un matin
Où tous ceux qui grimpèrent roulèrent dans le ravin
Aujourd'hui y a des vignes, il y pousse du raisin
Qui boira d'ce vin-là... boira l'sang des copains !

La musique les traverse et les fige un instant. Tous reprennent en chœur la chanson, heureux et surpris de constater qu'ils la connaissent. C'est vieux pourtant, mais la rengaine a la vie dure. Jeanne reste happée par la voix, par les mots, par ce qu'ils disent et qu'elle ressent si fort. Au-delà du bruit des débats qui reprennent, elle écoute les copains mourir sur la Butte. Elle les voit rouler.

Elle observe ses amis, qui ont cessé de chanter et couvrent la musique par leurs mots. Jeanne enregistre chaque détail pour que rien ne disparaisse. Elle veut penser que même s'ils se séparent, même si un jour leurs routes dévient, cet instant-là restera en elle comme un phare, un feu. Les petites mains nerveuses d'Ali qui jouent avec le lacet de cuir autour de son cou. Son pouce et son index qui tirent la peau, la font rouler. La mécanique de leurs débats, de leurs éclats de voix. Les rebonds sur un mot ; Jeanne peut déjà deviner qui va réagir avant même qu'il ne le fasse. Le jeté d'épaules de Marc, quand il saisit son verre et le repose. Son rire qui déraille, grave et guttural, à chaque saillie d'humour que lance Basile.

Basile. Son rire à lui est plus retenu, des salves mélodieuses, presque féminines. Toujours attentif à l'image qu'il donne de lui, même quand il ne s'en rend pas compte. Toujours debout, incapable de rester en place ; pas avachi comme les autres dans les canapés défoncés. Elle suit le tracé de ses mains dans l'espace, les mouvements d'envol de ses doigts, la façon dont il finit toujours par les glisser au fond de ses poches, bras tendus et futal sur le pubis, épaules relevées. L'air de s'excuser. Non : l'air de faire semblant de s'excuser. Chaque détail relevé le lui rend plus proche, plus *sien*, même si elle croit que ce n'est pas ce qu'elle veut.

Tonio roule des clopes du diamètre d'un doigt. Ses rides se plissent dans les reflets de la bougie ; il se détend au milieu des autres, au milieu des rires. Toujours un peu aux aguets, sauf lorsqu'il a suffisamment bu pour lâcher prise. Lucie se coule un peu plus dans le creux que lui offre Jules, qui pose sa patte de bûcheron sur elle, caresse avec tendresse, en même temps qu'il argumente à propos de *la production contrôlée dans l'agriculture bio*, ou un truc du genre. À cette heure, le propos est à la fois essentiel et accessoire.

Jeanne ne voit que les fils qui les lient, la chaleur qu'ils en tirent.

Leur beauté, notre force.

Elle se dit : *Je suis chez moi.*

Elle les regarde tous un par un. Ils ne se connaissent pas depuis si longtemps et pourtant ils s'aiment, ça ne fait aucun doute. Ils se sont choisis. Son cœur à elle est grand ouvert comme un passage sans porte. Le leur aussi. Il ne s'agit pas seulement de Basile et des papillons qu'il fait grésiller dans son ventre. Non ; elle les aime, tous. Elle sait qu'ils sont son futur, son présent précieux, ses compagnons du jour le jour, surtout la nuit.

Leurs mots recouvrent et déroulent en même temps l'ampleur que prend ce lien. Ils parlent, parlent, parlent, ne font que ça, et chacun espère trouver dans l'oreille de l'autre la voix qui chante avec la sienne. Ils font une putain de symphonie.

Au mur, une affiche immense, version BD du *Radeau de la Méduse* au milieu d'une ville détruite côtoie maintenant La Baronne. Avec ce slogan au milieu des vagues – une phrase que Jeanne fait sienne, qu'ils font leur :

JE HAIS INFINIMENT
PARCE QUE J'AIME SANS RÉSERVE

En elle, une joie sublime éclate au point de la faire trembler.

Je suis chez moi. Je suis chez moi.

UN NÔTRE FUTUR

Alors nous allons vivre ; curieux, dérangés, insatiables, furieux, révoltés, amoureux, jaloux, anxieux, stupides, fiers, puissants, inarrêtables, incompris, sereins, heureux, désinvoltes et sûrs d'une chose : nous sommes demain. Nous sommes déjà demain.

Benoît Minville, *Je suis sa fille*

TONIO

– Tu bois trop, Tonio. Chiale un coup et ça ira mieux.

Les autres sont partis se coucher. La table est encore couverte des reliefs du repas, canettes vides et cendriers pleins. Tonio écluse. Jeanne se tient la tête entre ses mains, épuisée mais pas pressée de laisser seul le grand bonhomme picoleur, ridé d'histoires tristes.

– Non. Je pleure pas. C'est imprimé, j'y arrive pas. Je t'ai déjà parlé de mon père ?

– Vas-y.

– Quand j'étais petit, je devais être en CM1 ou CM2, un copain à moi a voulu parler au prof après la classe. Il avait un peu peur alors il m'a demandé de rester avec lui. Et là, il a expliqué au prof que c'était pas facile chez lui, à cause de ses parents qui se disputaient, et même se foutaient sur la gueule, que c'était pour ça qu'il avait pas pu faire son devoir de maths, tu vois le truc…

– Très bien, oui.

Jeanne sourit, elle se souvient nettement de l'indulgence suspecte qu'avaient les profs avec elle pendant le divorce de ses parents.

– L'instituteur a écouté. Il a écouté… très attentivement. Il nous a expliqué que c'était important de parler de ces choses-là, qu'il ne fallait pas garder pour nous des situations compliquées ou douloureuses, et qu'il était là pour ça…

Tonio se tait, secoue la tête, se ressert un verre.

– Quel con !

– L'instit ?

– Non, moi.

Il boit une grande gorgée avant de reprendre :

– Il a ajouté que la violence, même entre adultes, c'était interdit. Que le père de mon copain n'avait pas le droit de lever la main sur sa mère.

Tonio éclate d'un mauvais rire, ivre et amer.

– Là, Jeanne, il s'est passé un truc dingue : j'y ai *cru* ! J'ai cru que je pouvais faire confiance à ce connard. J'ai tout balancé. J'ai expliqué que ma mère se faisait défoncer la gueule tous les jours, et que pour mes frères et moi c'était à peine moins souvent, et que si on y échappait, c'était souvent parce que ma mère s'était interposée pour prendre les gnons à notre place. Parce que le paternel, c'était deux gros poings au bout d'une machine à pas réfléchir. Il avait tellement de rage et tellement pas d'éducation qu'il pouvait pas faire autrement. Il savait rien de rien, mon père. Sauf qu'il avait tout donné pour qu'on quitte l'Italie, tout. Et la misère qu'il trouvait en France, c'était la même, exactement la même, que celle qu'on avait quittée. Bref, cet instit'… Bon, il a sûrement fait ce qu'il a pu, mais… il a convoqué la mère, direct. Elle captait rien, ma mère, elle parlait même pas un italien correct, elle baragouinait un patois vénitien. Enfin, pas de Venise même, hein, elle venait d'une famille de Vénitiens paysans, les sans-terre qui louaient leurs bras aux propriétaires…

Il s'arrête, fixe Jeanne.

– Bois un verre. S'il te plaît. J'aime pas me saouler tout seul.

– T'inquiète, je te rattrape.

– Tu crois pas que j'invente, hein ?

– Ben non.

– Parce que je sais qu'on dirait du Zola. Mais c'est quand même vrai. Et puis je suis plus vieux, c'était une autre époque…

Il s'excuse des yeux pour ses digressions, et reprend :

– Ma mère, quand elle a su pour la convocation, elle a mis sa plus belle robe et elle est allée au rendez-vous en me jetant des regards furieux sur le trajet de l'école, et en me demandant quelle bêtise j'avais fait pour qu'elle soit convoquée comme ça. Et quand le maître a commencé à parler des violences… comment t'expliquer ? J'ai vu tellement de *terreur* sur son visage, et tellement d'incompréhension – on ne parle pas de ce qu'il se passe à la *casa*, surtout pas à un étranger, comment j'avais pu ? Alors j'ai eu peur. Et j'ai nié.

– Comment ça ?

– J'ai dit que j'avais menti. Que j'avais tout inventé, pour me faire remarquer, pour faire comme mon copain.

– Mais il t'a *cru* ?

– Oui. C'est ça le plus fou, et le plus triste, dans cette histoire. Il a pas vu les cernes de ma mère, son regard coupable, son *silence* coupable. C'est comme s'il était soulagé de m'entendre dire ça. Il m'a hurlé dessus, m'a traité de menteur, et il a continué de le faire durant toute l'année… devant les autres élèves. C'était mort : j'étais un menteur. Je suis plus vieux alors tu sais, à l'époque, passer pour un menteur, c'était vraiment la honte.

– Et ta mère ?

– Ma mère, elle a rien dit jusqu'à la maison. Et puis avant d'entrer, elle m'a retenu par le bras et m'a glissé : *Grazie per tuo padre*, merci pour ton père. Voilà. C'est tout ce qu'elle a dit. Et elle a continué à prendre des coups, et à serrer les dents. Sans pleurer. Parce que chez moi, c'est pas juste les hommes qui pleurent pas, tu vois. C'est tout le monde.

Jeanne se tait. Parfois, elle se sent comme une éponge. Une oreille géante. Ça coule en elle, la vie des autres. Elle pense que sa vie à elle n'a pas été troublée de heurts affreux. Sa vie à elle a été si courte, et sans mort, et sans drames. Elle pense qu'elle n'a rien à raconter. Au pire : le divorce de ses parents, et sa mère installée loin, pour le boulot d'abord. Sa mère qui a *refait sa vie*, c'est comme ça qu'on dit, comme si la première était défaite. Dix ans d'écart avec un petit frère qu'elle connaît à peine, la rancœur au début, et puis le lien effiloché, l'absence. Des brutalités intimes comme n'importe qui d'autre, quand passent les années, se passent les étapes. Quelques humiliations et des échecs sans conséquences.

Pour Jeanne, ce qui arrive aux autres est toujours pire. Alors elle écoute, et c'est là son courage, son importance. Dans le coup d'œil luisant de larmes contenues que lui jette Tonio, les soirs d'ivresse et de confidences éthyliques ; dans les soupirs furieux d'Alison quand elle évoque sa famille. Jeanne écoute même les silences de Basile, et ce qu'il lâche parfois malgré lui, entre deux bravades et une tirade politique. Elle se dit que peut-être, elle est là pour ça : recevoir le trop-plein, le pas-assez, le vitriol qui a blessé les autres, et leurs larmes d'anciens enfants. Chacun y trouve son compte, et elle devine sans en saisir tous les contours ce que cela a de terrible.

— Ben ton histoire, Tonio, moi elle me donne envie de chialer.

— Faut pas. La prochaine fois je t'en raconterai une encore plus triste, mais il faudra que j'aie encore plus bu. Là, je suis trop fatigué. Et puis si on veut tenir le coup demain… grosse fête en perspective.

Elle sourit, lui passe une main tendre dans les cheveux, appuie sur la nuque. Il penche la tête jusqu'à ce que sa joue touche le poignet de Jeanne. Ils restent un moment, comme ça, dans l'odeur révoltante des cendriers et fonds de verre, sauce refroidie et évier plein de vaisselle sale.

– Je peux te poser une question ?

– Vas-y.

– T'as presque l'âge de mon père, Tonio. Pourquoi tu traînes avec nous ? Je veux dire… c'est super, je t'adore, mais je me demandais juste pourquoi.

Tonio la regarde sans la voir, un peu comme s'il détaillait le mur derrière sa tête, à travers son front. Un tic absurde lui agite la joue.

– Peut-être que je vous trouve moins cons que la moyenne, tous âges confondus…

Jeanne garde le silence ; elle sait qu'il faut souvent attendre le déroulé des pirouettes avant d'entrer dans le vrai.

– Ou peut-être que j'ai le même âge que vous, dans ma tête !

Il soupire. Attrape le poignet de Jeanne et plante un baiser sur la jointure, un baiser dénué de séduction.

– Ou peut-être que c'est la prochaine histoire triste que je te raconterai… mais pas ce soir.

Elle récupère sa main doucement, lui sourit, les yeux mi-clos par la fatigue.

– Et toi, ma belle, t'attends quoi pour rejoindre Basile ? Qu'il fasse une annonce publique ?

Elle se raidit, malgré l'ivresse.

– T'es con, Tonio ! Je… je…

– Tu…?

– Arrête, merde. Je veux pas parler de ça.

Tout à l'heure, Basile est monté se coucher avant elle. Elle n'a pas relevé le regard appuyé, le sourire joueur qui l'accompagnait. Une invitation qu'elle se refuse à lire, parce qu'elle est terrifiée. Difficile de rester *juste au bord*, et difficile de sauter.

Elle a peur de la chute, Jeanne. D'habitude elle est sûre d'elle. C'est nouveau, cette peur de se perdre et de perdre des plumes. Ça la cisaille.

Faut dire qu'elle n'a jamais vibré comme ça, avec *les autres*. Les autres, leur présence était limitée dans le temps, et c'est elle qui fixait les limites. Avec Basile, elle est bien incapable de fixer quoi que ce soit – mais des limites, elle sait déjà qu'elle n'en veut pas.

– D'accord, j'arrête. Mais quand même, vous êtes tellement beaux tous les deux, on dirait des petits feux quand vous êtes ensemble. Y a que toi qui t'en rends pas compte.

– Ben il fait rien, lui non plus !

– Quoi ? C'est à lui de tout faire, parce que c'est un mec ? Je te croyais plus évoluée, dis donc…

– Hé, j'ai jamais dit ça ! T'es lourd, Tonio.

– Ben alors si t'as envie, vas-y.

Tonio a les yeux plissés jusqu'à la fermeture, sa tête oscille de plus en plus fort. Il soupire, se lève pour aller se coucher, titubant. Sans qu'elle sache vraiment s'il s'adresse encore à elle, Jeanne l'entend chuchoter :

– Faudrait se décider, hein. Parce que la vie, ça passe.

*

Sous la couette sans housse, elle longe ses cuisses du plat des paumes, remonte dans l'aine du bout des doigts, plonge au centre et y reste, se caresse par à-coups très

100

lents. *Si t'as envie, vas-y.* Comme si l'envie, ça suffisait. Les yeux ouverts sur l'intérieur de sa tête un peu saoule, elle s'agite, nue, entre les bras de Basile – pas besoin d'imaginer grand-chose pour accompagner le mouvement : son seul sourire l'embarque très loin, très haut, très vite. Elle essaie d'en imaginer d'autres, pour qu'il prenne moins d'importance, mais ça ne marche pas. C'est son visage qui revient au-dessus d'elle, sa bouche qui la dévore jusqu'au frisson.

Après, elle est furieuse. Apaisée mais furieuse, de ne rien comprendre et de ne rien maîtriser de cette nouvelle émotion, plus violente que ses révoltes.

DES LIVRES

– C'est du délire, le nombre de bouquins que tu trimballes ! s'écrie Alison.

Jeanne ne répond pas. Les livres s'entassent, couvertures hors d'âge et éditions de poche ; ils s'amoncellent sur le sol de sa chambre, se préparent à rejoindre la bibliothèque collective, dans le salon.

– Tu les as tous lus ?

– Non, pas tous. Mais beaucoup.

– Comment tu peux en avoir autant ? Tu braques les librairies ou quoi ?

– Les bouquinistes… et pour être honnête, j'en ai piqué un bon paquet à mon père.

– Ah oui, c'est sûr que chez moi, c'est pas la littérature qui déborde des placards.

Jeanne sourit, un peu gênée par l'écart. Elle traverse les quatrièmes de couverture, compulse sans les lire les tranches épaisses, côté pages, comme de gros jeux de cartes. Alison chope les plus épais.

– *Les Hauts de Hurlevent* ? *Anna Karénine* ? Non mais je rêve ! Politiquement ça craint un max, toutes ces histoires de bourgeoises avec leurs peines de cœur, non ?!

– Attends, j'ai pas sorti mes Jane Austen…

– Ah ouais, quand même !

Elles se marrent. Jeanne n'a honte de rien avec Alison, même pas de cette horrible faiblesse pour la littérature romantique.

– J'ai pas que ça. Regarde.

Jeanne sort une pile de son sac à dos, jette un à un les bouquins sur les genoux d'Alison.

– *Le Droit à la paresse, L'Unique et sa propriété, Nous qui désirons sans fin, La Politique du mâle, À nos amis*…

Marc surgit au milieu de l'inventaire :

– Hé, c'est bon, tout ça ! Un peu vieux, mais…

Son sourire parle pour lui.

– Tu les as lus, Jeanne ?

– Nan, c'est pour caler les meubles.

Marc ne relève pas. Il s'accroupit pour saisir un ouvrage à la couverture déchirée. Un exemplaire ravagé et piqué de moisissure, sur l'histoire de la R.A.F.

– Tu l'as eu où, celui-là ?

– Chez un bouquiniste. Prends-le, il est bien.

Marc observe le livre, puis Jeanne. Sérieusement, très sérieusement.

– La théorie, c'est bien, mais…

Il s'arrête là, attend de voir si son début de phrase a un effet.

Le silence dure, que personne ne brise. Marc triture la couverture – une Kalachnikov sur une étoile rouge – en fixant Jeanne. Puis son regard glisse vers Alison. C'est Jeanne qui se lance :

– La lutte armée, la *vraie*, je suis pas prête à ça, Marc. L'action, la lutte, le sabotage… pourquoi pas. Mais tuer des gens, même des salauds…

Marc s'écrie, sans cesser de sourire :

– Ah mais le sabotage, c'est déjà de l'action directe !

– Squatter ici, tous ensemble, mettre en commun, fonctionner en collectif, c'est aussi une forme d'action directe, tu crois pas ?

– Si. Complètement. T'as raison de le voir comme ça.

Marc se laisse tomber sur le parquet et ramène ses jambes en tailleur. Il empile les bouquins de Jeanne selon un tri personnel, comme s'il séparait le bon grain de l'ivraie.

– Vous savez que le prochain Contre-Sommet se passe en France ?

– J'ai entendu ça à la fac, oui.

– Ça vous dit qu'on y aille, tous ensemble ?

Il ponctue sa question d'un sourire prometteur. Jeanne et Alison acquiescent en même temps, dans un murmure commun et enthousiaste.

Jeanne regarde Marc saisir ses livres et lutte contre un réflexe de propriété. Elle récupère quelques titres, qu'elle pose près d'elle comme un trésor. Des poèmes de Celan, une vieille édition de *Croc-Blanc*, *L'Odyssée, Les trois mousquetaires* – et *L'île au Trésor*, justement. Et d'autres, petites bornes incandescentes sur son chemin. Elle relit parfois des morceaux de ceux-là, jusqu'à les connaître par cœur, jusqu'à en faire des bouts d'elle-même.

En caressant la couverture de *Croc-Blanc*, elle se revoit tournant les pages frénétiquement, assise dans sa cabane un jour de pluie. Ça cliquetait sur le toit, ruisselait le long du tronc. Elle se sentait bien, abritée par la forêt, et imaginait sous ses doigts le poil rêche de la bête, plaignait l'animal battu – puis, enfin, devenait en rêve le loup libre en cavale. La collectivisation, d'accord, mais il y a des limites. Les objets ont pour elle une histoire, qui se mêle à la sienne. Et elle ne veut pas que son histoire soit à tout le monde.

LE POTAGER DE JULES

Jules, dans une autre vie, devait être un arbre. Il penche plutôt pour un buisson – rapport à son physique trapu et sa barbe en bataille. Des buissons, il y en a quelques-uns le long du mur, dans le jardin du squat. Et juste à côté, la terre est fraîchement retournée, entretenue avec amour et application. Rien n'émerge encore – il est trop tôt –, mais Jules caresse des yeux l'endroit où les pousses apparaîtront bientôt : plants de poireaux, carottes, choux-fleurs et salades. Il lève la tête, envisage des arceaux au travers du jardin, une bâche de protection pour veiller sur son potager.

Tonio sort de la cuisine et s'avance dans le jardin, deux tasses de café au bout des poings. Jules en saisit une, fait un signe de tête vers les chaises dépareillées, appuyées sous la fenêtre. Ils s'assoient. Le froid s'est installé ; les tasses fument. Tonio pose la sienne au sol pour rouler une cigarette avec application. La lumière du matin caresse le tronc de la glycine qui serpente jusque chez le voisin, de l'autre côté du mur.

– C'est bien, ce que t'as fait ici. Sacré boulot.

– J'espère que ça va pousser. On est en ville, quand même : c'est pas gagné.

Tonio scrute les allées de terre meuble en allumant sa cigarette. Il plisse les yeux sous le premier nuage de fumée, tousse un peu.

– Tu te plairais aux Fauvettes, toi…

Jules ne dit rien, l'interroge du regard en buvant de petites gorgées de café brûlant.

– Un squat rural. Vingt ans qu'ils existent, avec des hauts et des bas, des gens qui passent, d'autres qui restent…

– Ils cultivent ?

– Bien sûr. Répartition du travail selon les compétences de chacun, tâches collectives… une organisation beaucoup plus complexe que la nôtre.

– Tu y as vécu ?

Tonio ne répond pas tout de suite, comme s'il n'avait pas entendu la question. Il va simplement chercher la réponse très loin, au cœur de ses souvenirs. Difficile de savoir s'ils sont bons ou mauvais, lorsqu'il souffle :

– Oui. Mais c'était il y a longtemps. J'y passe régulièrement.

Jules insiste :

– Ben, raconte. Pourquoi ça me plairait, d'après toi ?

– Oh, t'as ce rapport à la terre, à la nature… plutôt privilégié, non ? On sent vite que la ville, c'est pas trop ton truc. Là-bas, les gars travaillent la terre – les filles aussi, d'ailleurs. Ils cultivent et mangent ce qu'ils produisent ; ils vivent presque en autarcie. Y a des gosses, chacun apprend aux autres ce qu'il sait. Des repas collectifs, tout ça.

– Je vois. Pourquoi t'es parti ?

Le visage de Tonio se fend dans un grand sourire.

– Déjà, ils sont végétariens ! Et tu vois, moi, le bœuf, je pourrais le manger encore vivant. Les galettes de boulgour, les lentilles marinées, le riz sauvage qui croque sous la dent, tout ça…

Tonio ricane et ça résonne caverneux. Ses yeux brillent de malice tandis que son rire vire à la toux, encore.

– Au bout d'un an, j'aurais pu bouffer un gosse ! Et puis, c'est pas assez… punk, pour moi.

– Punk ?

– Comment t'expliquer ça ? En fait, eux font le pari de vivre hors de la société. Moi, je préfère vivre dedans, mais à ma façon, quitte à foutre le bordel. Tu vois ?

– Tu veux dire que c'est un îlot de résistance, mais que ça sert à rien parce que personne le sait ? Toi, t'as envie de mettre sous le nez des cons leur vie de cons !

– Même pas. J'aime les gens, et la plupart de ceux qui ont une vie de cons ne l'ont pas choisie, et n'ont même pas les moyens de s'en rendre compte. Mais parle-moi de toi, un peu : c'est nouveau, ton truc avec les plantes ?

– Non, j'ai toujours aimé ça. Les jardins ouvriers, tu connais ?

– Évidemment. Tu parles à un rital, fils d'immigré, je te rappelle.

Jules finit son café d'un mouvement lent, regarde Tonio avec une sorte de reconnaissance. En voilà un qui a connu, comme lui, ces bouts de jardins posés côte à côte, octroyés aux ouvriers logés dans des immeubles tristes et hauts. Jules se souvient de celui de ses grands-parents, envahi de plants de légumes, qui constituaient une bonne partie des repas familiaux. Et les petits plants spéciaux de sa grand-mère – juste pour lui et ses sœurs : groseilles, framboises, myrtilles. Sa grand-mère écrasait pour eux dans un bol toute cette acidité sucrée. Il en a presque la saveur sous la langue, qui l'émeut soudain ; pris par surprise, attrapé par le souvenir.

– C'est bien, de savoir qu'il y en a d'autres, souffle Jules, pensif.

– D'autres quoi ?

– D'autres *comme nous*. Des groupes, des gens, des qui n'ont pas envie de vivre à côté de la vie. Qui résistent. Pas forcément tous de la même façon, mais qui ont envie d'imaginer autre chose. J'aime cette idée. On est nombreux, en fait, à ne pas marcher dans le sens de…

Il pose ses mains en œillères sur ses tempes, mime une route bien droite.

Tonio grogne son assentiment, écrase son mégot entre ses doigts aux phalanges cornées ; et puis les deux se taisent, pensent aux *autres*, écoutent ensemble le chant de la terre, qui, même réduit à un espace restreint, bourdonne de vie.

SOLITAIRE

Quand elle se réveille, ce matin, Jeanne a mal au crâne. Hier, il y a eu ce rassemblement pour la libération des prisonniers d'*Action directe*. C'était chouette, mais toutes ces discussions – tard, si tard dans la nuit que c'était presque le jour... Elle se sent vaseuse et étrangement triste, encore fatiguée. Impossible de se rendormir, pourtant. Elle avise la pile de linge sale qui grandit au pied de son lit. En farfouillant pour trouver un soutif, elle tombe sur un pull informe qu'elle enfile, et un jean pas très net. Nécessité fait loi : aujourd'hui sera jour de lessive. Tant pis pour la fac.

Tous les copains lui refilent une poignée de fringues, qu'ils glissent dans son grand sac de marin d'un air vaguement coupable et reconnaissant.

– Tu veux que je t'accompagne ? propose Alison.

– Non. J'ai envie d'être un peu seule.

Jeanne s'échappe, les laissant attablés dans la cuisine ; une vraie scène familiale, s'il y avait autre chose à manger que des restes de rillettes et des biscuits.

Quand elle entre dans le Lavomatic, à deux rues du squat, la petite vieille assise dans un coin arrime son regard au sien, ouvertement désireuse de faire la conversation. Elle lance à Jeanne des petits sourires

111

encourageants à chaque poignée de linge qu'elle balance dans le tambour orange.

Au début, Jeanne a envie de visser les écouteurs sur ses oreilles, s'envoler dans les cris qui *niquent le blizzard*, lui rappellent que *l'ennui est un crime, la vie un casse du siècle, un putain de piment rouge*. Elle lance son regard hors la baie vitrée. Et puis finalement, elle décide de la regarder, cette petite vieille toute fripée. Une lueur dans ses prunelles quand elle dit :

– J'ai rencontré mon mari en Casamance, vous savez…

Jeanne range son mp3, et elle la voit. Elle la voit vraiment, elle et ses mains tordues.

– J'étais femme de diplomate mais tout le monde m'aimait bien, parce que j'étais humble.

Bonnet aux sourcils, pieds enflés rentrés dans d'improbables ballerines rouges : Jeanne veut bien la croire.

– J'ai connu Senghor, vous savez, quand j'ai suivi mon mari à Dakar.

Son petit sourire déborde de malice.

– Ma mère était très pieuse. Quand elle est morte, il a fallu attendre quatre jours avant de fermer le cercueil. Parce que je voulais la voir, vous comprenez ? Et comme je vivais en Afrique… À l'époque, il y avait peu d'avions. Hé bien, quand je suis arrivée, elle était encore souple !

Jeanne ravale une grimace, la transforme en interrogation muette. La vieille divague, vogue d'un lieu à l'autre de sa mémoire.

– Ils lui avaient mis la tête dans de la glace, et quand je l'ai vue elle n'était même pas jaune ! Le curé m'a dit : *C'est une Sainte*, vous savez mademoiselle, ma mère était une Sainte. Une femme très pieuse !

La jeune fille essaie de faire le lien entre la fraîcheur d'un cadavre et son état de sainteté : elle ne voit pas bien, non. Mais l'écoute, happée par la virevolte de ses souvenirs.

– L'ambassadeur m'adorait. Quand je suis retournée à Dakar, après la mort de ma mère, il a organisé un bal pour me changer les idées. Oui, il m'aimait bien. Il me demandait parfois d'aller voir telle ou telle dame un peu… revêche, pour lui parler. J'étais une sorte de diplomate moi aussi, à ma façon !

Jeanne l'imagine, jeune et *humble*, dans les salons de l'ambassade, à Dakar. En robe d'époque, forcément. D'une autre époque que la sienne. Elle ressent si fort son besoin d'exister, de ne pas disparaître. Le flot de mots la rend moins transparente, moins vieille, moins proche de la mort. Alors Jeanne l'écoute, la laisse revivre sa gloire qui parle à la sienne – gloire dérisoire de la chair ferme. *Petite grand-mère*. Elle pense : *Un jour moi aussi*, mais au fond ça ne prend pas forme. Elle a 19 ans pour toute la vie.

La vieille a chaud, retire son bonnet. Ses boucles grises s'échappent. Elle triture son couvre-chef sur ses genoux. Genoux serrés. Pieds posés bien à plat sur le sol, parallèles, comme une écolière sage. L'odeur de lessive envahit Jeanne, l'étourdit. Lui rappelle l'enfance, tiens… La bassine de linge mouillé, odorant. *Jeanne ! Viens m'aider à étendre le linge !* Tâche dévolue à sa mère ; c'est sa voix qu'elle entend. Dix ans quand ils se sont séparés, pourtant. Il a bien fallu continuer de faire tourner des machines, après son départ. Mais avec son père, c'était chacun son tour. Elle se souvient : elle détestait étendre ses caleçons, comme une inconvenance – l'absence de sa mère résonnait dans ce geste.

– Mes parents avaient une entreprise de pêche, en Bretagne. Alors quand mon mari est mort…

Soudain Jeanne n'y arrive plus. La présence incongrue de cette petite vieille qui déroule sa vie en vrac lui devient insupportable. Elle est veuve, si seule, et ses yeux malins ne suffisent pas à rendre cette rencontre joyeuse.

Jeanne a envie de pleurer, de s'enfuir, sans bien comprendre pourquoi. Elle aimerait être plus solide, courageuse comme une guerrière, conforme à l'image qu'elle donne à voir.

Le tambour de la machine ralentit, le *gling-gling* d'une pièce d'un euro échappée d'un jean se fait plus lent. Le mouvement s'arrête. Elle en profite pour tourner le dos à la vieille, fait passer son linge humide dans un séchoir, récupère la pièce au passage et la glisse dans la fente prévue pour payer le droit de récupérer tout ça dans une heure, sec et tiède.

— Je vais aller faire un tour, Madame, elle lâche en souriant malgré les larmes qui menacent de dégouliner sur son visage.

— Bien sûr ! À votre âge, on a tellement de choses à faire ! Moi je ne bouge pas, je surveille votre linge et le mien.

— Merci.

Ce simple mot l'écorche.

Dehors il fait froid, elle serre son manteau contre elle, remonte son foulard au-dessus de son nez. L'odeur douceâtre de la lessive y reste un peu. Un nouveau souvenir remonte, à cause de l'odeur. Un voyage, le dernier avec ses deux parents. Perdus dans une Andalousie brûlante, au cœur d'un dédale de ruelles. Elle avait envie de faire pipi, mais aucun commerce, café ou restaurant n'était ouvert. Début d'après-midi, la ville entière dormait, eux seuls marchaient dans les rues vides et tendues de draps blancs pour isoler d'une canicule étouffante.

Sa mère avait fini par entrer dans un patio pour demander à une femme, dans un espagnol sommaire, le droit d'utiliser les toilettes. *Pour la petite, vous comprenez ?* Lentement, la femme s'était extraite de son siège pliant, et dans une grande économie de mouvements, avait fait signe de la suivre. La tête dans le soleil, les yeux courant le long des mosaïques du sol, son père était resté immobile dans l'entrée. Dans l'odeur écœurante du jasmin. L'Andalousie, parce que son père rêvait de voir l'*Alhambra*. Alors il y avait eu Grenade, et puis Cordoue, la lumière de midi sur le Guadalquivir, les ruelles en dédale, les orangers. L'Andalousie pour tenter de sauver un amour déjà mort. Jeanne pense que tout a commencé dans les claudications de son père, cette insurmontable blessure, tant morale que physique.

Elle avait suivi la femme ; sa mère l'avait accompagnée, jusqu'à l'extrémité du patio où la femme, d'un mouvement sec, lui avait barré la route. Un bras tendu, main ouverte. Comme pour dire *Ta fille, oui, mais pas toi*. Jeanne l'avait suivie à l'intérieur de la maison. Elle se souvient des odeurs de nourriture qui flottaient dans une cuisine sombre, une odeur d'huile cuite, d'ail, de beignets frits. Et de la salle de bain exiguë dans laquelle la femme l'avait poussée, refermant la porte derrière elle. Jeanne aurait voulu rester longtemps dans cette salle de bains. Elle avait uriné puis s'était longuement savonné les mains pour faire durer ce moment de solitude.

Avant de quitter la pièce, elle avait plongé son visage dans une bassine de linge propre, encore tiède de soleil, à peine gênée de trouver une telle volupté en fourrant son nez dans le linge d'autrui. Repousser le moment de rejoindre ses parents – tendus, silencieux, dont l'amour se délitait irrémédiablement. Repousser pour ne pas voir, ne pas savoir que ces silences-là avaient un goût d'adieu, un goût de faire-semblant pour une dernière fois, et juste pour elle. Oui, c'est là que ça avait commencé : dans l'odeur de linge propre, elle avait compris que tout ça aurait une fin. *La fin de l'amour* a pour elle une odeur de lessive, de jasmin et de soleil.

Jeanne avance dans la rue, vue brouillée, frissonnante. Elle se sent toute petite ce matin et elle déteste ça – en même temps qu'elle savoure cet état, comme la pointe de douleur qu'on entretient en appuyant sur une plaie.

Là, maintenant, il faudrait trouver le courage de courir jusqu'au squat, secouer Basile pour qu'il ouvre ses bras, la serre, et mente en lui jurant : *Nous, ce sera différent.* Il faudrait qu'il y croie encore plus fort qu'elle, à cause de cette lumière triste dans la tête de Jeanne, qui éclaire souvent ce qu'elle aimerait ne pas voir – le fond du placard, la crasse, les monstres sous les lits.

Tu y viendras, ma rêveuse, au survol aérien...

Elle essuie ses yeux d'un bras rageur, furieuse de penser à son père, à sa fragilité derrière le masque de la raison. Ça l'agace tellement d'être mangée de doute : pas si forte qu'elle s'imagine, finalement. Elle s'insulte à l'intérieur, attise un dialogue comme si elle était deux. Entre claques mentales et appels à la déraison, elle finit par se dire que la lucidité, c'est vraiment de la merde. Et qu'elle ferait bien de lâcher du lest et d'être un peu plus courageuse. Même si, à choisir, elle préférerait affronter un bataillon de CRS plutôt que dire à Basile à quel point elle tient à lui, à quel point elle le désire.

Jeanne renifle, fait demi-tour.

La vieille est toujours là. Son sourire larmoyant, les petites veines gonflées dans son visage trop flasque, la détresse de ce corps plié : Jeanne avale tout, comme une potion amère. Tandis qu'elle empile son linge, elle y trouve des fringues qui appartiennent à Basile. Elle balance, caleçon en main, entre agacement et hilarité.

La vieille interrompt le vent de sa révolte :

– Dites, Mademoiselle, jolie comme vous êtes… vous avez un fiancé ?

Malgré la formulation désuète, ou peut-être à cause de ça, Jeanne ne peut s'empêcher de sourire.

– Non, mais je crois que ça va pas tarder !

LE GRAND SOIR

Basile ouvre ses mains et les frotte contre ses cuisses. Autour de lui : un chaos de corps en sueur qui dansent, déchaînés, sur une musique qu'il connaît par cœur. Ses amis, et d'autres. Des agités en fête qui communient en mouvements souples et rires énormes. Partout, jusque dans les chambres, des copains connus ou inconnus sautent en rythme et hurlent pour se parler.

Il est heureux d'être ici, *chez lui*. Il fait sombre et chaud. Des verres posés sur les enceintes, le bord des cheminées condamnées, la table basse, le sol. Des bouteilles alignées le long des divans, au pied de la bibliothèque. À cette heure, les mégots s'écrasent sous le talon.

La fête : sonore, brutale et joyeuse. Toujours à la limite d'autres explosions, comme une soupape pour éviter le pire et savourer le meilleur. Il sent le sol vibrer sous ses pieds. En relevant la tête, son regard cherche Jeanne. Il saisit une bière, la décapsule – merde, elle est tiède. Alors il file à la cuisine, sans savoir s'il cherche une bière fraîche ou Jeanne. Mais dans la cuisine, il y a Tonio, Alison et Pablo, son nouveau copain, qui l'accueillent à grands cris joyeux. Il y a aussi Juliette, et Jerry, des copains de leur ancien squat.

– Basile !

– Viens goûter le nouveau cocktail que Pablo vient d'inventer !

– Une tuerie ! Faut que tu essaies. Tu peux y aller les yeux fermés…

C'est ce qu'il fait. Il y va les yeux fermés, repoussant la bière en périphérie de l'évier. Il pense aux épaules de Jeanne qu'il a vues s'agiter tout à l'heure sur un vieux morceau de punk. À ses yeux rieurs qui déforment sa petite cicatrice, à son intouchable cul, à ses mains douces – bon, ça il ne sait pas, il devine.

Cul sec. Un autre verre, plus lentement, pour sentir le goût, quand même. C'est vrai que c'est bon.

– Alors ? demande Pablo, l'air satisfait.

– Encore.

Il se ressert. Lève son verre. Les autres aussi. Ils trinquent en braillant « *El pueblo, unido, jama sera vincido !* »

– Alors ? demande Juliette, ça se passe bien, ce squat ?

Basile balance la tête, enthousiaste.

– Ben ouais, carrément.

– T'as déjà pécho toutes les filles, ou il t'en reste encore ?

Elle a le sourire moqueur, mais pas autant que Tonio…

– T'y es pas du tout, Ju : Basile, il est amoureux.

– Non ? Toi, amoureux ?

Elle tire sur le tee-shirt de Basile, joueuse comme une frangine.

– Vas-y raconte, Don Juan !

Basile secoue la tête en rigolant et jette un regard gris vers Tonio avant d'embrayer sur autre chose.

– Et vous ? Pas encore expulsés ?

– Oh, tu veux pas en parler ! C'est mignon !

– Ouais, ajoute Tonio, il est trop mignon, notre Basile.

– Bon, vous fermez vos gueules, un peu ? Vous êtes super lourds, là.

Il remplit à nouveau son verre ; les bras se tendent : il resserte tout le monde.

– Sérieux, reprend Basile, tu restes là-bas Juliette ?

– Non, c'est vraiment trop la zone. Je vais bouger.

– Tu veux venir t'installer ici ?

– C'est sympa mais une copine à moi vient d'emménager à Berlin, je vais aller passer du temps là-bas.

– Je comprends que t'en aies marre des gros nazes comme lui !

Il tend le menton vers Jerry, qui rigole sous ses dreads, les yeux comme deux petites fentes rouges et enfumées.

– Le gros naze survole ton insulte avec la sagesse du moine tibétain…

Mais sa voix est si pâteuse qu'il bute sur chaque mot. Alors ils se mettent à rire comme des perdus, saouls et joyeux, dans cette cuisine dont le sol colle affreusement – mélange de crasse et d'alcool sucré. Tonio tend les bras vers Basile :

– Viens là mon Basile, que je te fasse une alcoolade !

– Une quoi ?

– Une alcoolade ! C'est une accolade bourrée !

Il tangue vers Basile et l'enlace. Ils se serrent en titubant. Pablo se met à gueuler en se collant à Alison :

– Génial ! Une alcoolade ! J'adore ce concept ! Moi aussi je veux faire plein d'alcoolades avec toi !

Alison n'arrive pas à le chasser, elle bataille de ses petits bras fins pour repousser les assauts collants et amoureux de Pablo, en riant aux éclats.

Et Jeanne déboule dans la cuisine à ce moment-là, suante et essoufflée.

– Vous faites quoi ?

– Des alcoolades ! hurle Pablo.

– Ah oui, je vois l'idée…

Le cœur de Basile s'agite, tandis que Tonio lui plaque de grandes claques affectueuses dans le dos. Basile ne quitte pas Jeanne des yeux. Il attrape une chaise et la tourne vers lui, s'installe façon cow-boy, juste en face d'elle. Il force un peu la voix pour couvrir les cris et les rires.

– Tu veux goûter le cocktail de Pablo ?

Elle fixe la courbe d'une mèche collée à son front. Puis celle de ses bras, croisés sur le dossier de la chaise. Elle a l'air d'hésiter. Juliette ne voit rien : elle raconte à Tonio le dernier plan tordu que leur a fait Jerry, une main posée sur l'épaule de Basile, et remonte jusqu'à sa nuque. Elle caresse machinalement, tendrement, la tête de son ancien coloc. Le regard de Jeanne se perd entre les doigts de Juliette.

– Alors ? Je te sers un verre ?

– Non, ça va ! Vu comment ça vous donne l'air con, non merci ! Je vais faire une pause.

– Pourquoi tu dis ça ? demande Alison, le zozotement éthylique et les yeux mi-clos.

Jeanne éclate d'un rire un peu trop sonore, et observe Basile, prolonge le regard jusqu'au malaise.

– Vous avez vraiment pas l'air malins, je vous jure !

Il croit qu'elle va dire un autre truc, mais non. Il se sent con, à sourire en la léchant des yeux, avec la main de Juliette qui lui caresse la tête – il aimait bien mais maintenant ça l'agace, il se dégage d'un coup. Jeanne se fend d'un sourire tordu et fait volte-face. Elle sort de la cuisine comme une princesse, les cheveux fous ramassés d'un seul côté, la nuque un peu rougie par la sueur et l'émotion. Elle les plante là, et il a surtout l'impression qu'elle *le* plante là, à cheval sur son destrier en formica. Cow-boy foireux planté au milieu du saloon, sans cheval et sans adversaire. Juste un verre et des potes qui rigolent autour de lui.

Il déclenche enfin. Se lève, sourire coincé en bouche, agacé et amoureux. Elle est chiante, avec ses peurs et ses changements d'humeur, à sauter du rire complice à la fuite. Merde, il va pas continuer comme ça longtemps, faut qu'il fasse un truc, n'importe quoi, quelque chose pour la toucher-serrer, il la veut son alcoolade – et même plus. Alors il sort de la cuisine, bouscule et serre des épaules amies, pique une clope à la bouche d'un pote, tire dessus comme un qui prendrait des forces, cherche des yeux et trouve : au milieu du salon, au milieu des autres, au milieu des corps et sous le regard réprobateur de la Baronne, Jeanne tourne sur elle-même, les yeux fermés, entre transe et pogo. Elle veut danser ? Ils danseront. Et s'il faut en crever d'épuisement, pas de problème : à genoux dans les flaques de bière jusqu'au petit matin, il veut bien, jusqu'à ce que cette emmerdeuse range son flingue et lui roule une pelle.

Il a la nuit devant lui, et la vigueur qu'offre l'évidence du désir. Il brille, rayonne comme un petit soleil, rit de toutes ses incisives, soulève des montagnes d'énergie pure. Il danse, face à elle et autour, et elle s'accroche à ses mouvements, le suit jusqu'au rire, l'invite jusqu'au défi, jusqu'à ce que la fatigue leur scie les genoux, leur brûle les chevilles. Jusqu'à la sueur qui coule le long de leurs dos et leurs cheveux humides.

Des heures. Ils dansent des heures. Leurs corps en mouvement, c'est comme d'interminables préliminaires qui attisent et révèlent. Jusqu'à l'épuisement.

Aussi, quand un morceau démarre qu'ils n'aiment ni l'un ni l'autre, ils restent un instant figés, et leurs regards disent que c'est le moment de s'échapper. Elle part en courant vers le grand escalier, comme une môme qui voudrait qu'on l'attrape. Et ça ne loupe pas, Basile la course et fait bien attention de courir moins vite qu'elle, pour être sûr de la choper à proximité d'une chambre, la sienne de préférence. Devant la porte, au premier étage, il y a deux copains qui s'écartent, les laissent passer pour s'avachir plus loin dans le couloir. Ils claquent la porte. La musique résonne, s'infiltre dans la chambre, même fermée.

Entre deux rires, ils s'embrassent enfin, tout en virant leurs godasses et le reste, titubants. Survoltée par ce premier baiser qui ne s'interrompt que pour laisser passer les pulls, Jeanne pose ses mains un peu partout sans y croire vraiment. L'odeur de rhum, de cèdre et de sueur, ses respirations heurtées. Et les siennes, en cadence. Elle ne sait pas si elle a gagné ou abdiqué, et ça n'a aucune importance. Le corps de Basile la happe, envergure animale qui la fait trembler. Elle reste là, toute droite dans sa nudité, éclaboussée d'ombres rousses. Les yeux un peu écarquillés sur l'intimité soudaine, crue et charnelle : enfin à égalité, à poil et peau contre peau. De sentir son corps contre celui de Basile, Jeanne retrouve son souffle comme après une très longue apnée ; son cœur bat, hachuré, pulsant contre ses tempes, son cou, son ventre et son sexe – à une vitesse déraisonnable. Elle respire Basile comme un animal reconnaît son pareil, son autre, avant de passer aux choses sérieuses.

Là, ils ne rigolent plus.

Au début, ça ressemble à un combat : elle ne se laisse pas faire et barre la route à chaque caresse, soudain tendue et résistante. L'envie la dévore, pourtant, mais ce grand vertige... Elle commence déjà à se perdre, à perdre la mesure – et la tête, alouette. Basile hésite à peine, recule et attend, le bout des doigts lui lissant les cuisses, effleurant ses seins, son cou, jusqu'à l'insupportable. Et son regard suit ses mains, la creuse des yeux, l'embrase d'un rien. Jeanne bascule, les caresses de Basile lui retournent la peau comme on dépiaute un lapin.

Ils se coulent vers le lit sans se lâcher des yeux. Chair à nu, cœur à nu, le corps vibrant de Jeanne est secoué d'envies : la danse, à nouveau, furieuse et sans retenue. Bien incapables de savoir qui veut, qui choisit, ils dansent autrement mais encore, à peine au début du bout de leurs forces ; l'un et l'autre, l'un sur l'autre et le contraire – jusqu'à lisser leurs corps de salive et de sueur, d'humidité tiède. Son sexe dur contre sa cuisse, et puis qui la pénètre, et reste en elle ; souffle coupé elle le retient, mains sur ses fesses, son dos, ses fesses – ses fesses, encore et surtout. Agrippés comme si, séparés, ils risquaient de tomber. Ils se mordent sans douleur, se lèchent, collent leur peau autant qu'il est possible. Et des baisers jusqu'à la brûlure.

Soudée à lui, ses doigts attrapés par ceux de Basile, encastrés dans ses paumes voltigeuses, Jeanne subit le mouvement auquel elle participe. Le plaisir s'installe dans le rythme et monte comme une urgence, en cris féroces. Elle s'ouvre d'avantage, voudrait qu'il vienne encore plus fort, encore plus loin, encore plus, encore. Elle ne comprend même pas comment, pourquoi, et – enfin ! – s'en fout de comprendre. Elle se cambre pour recevoir, étreint pour donner. Elle mord un peu plus fort dans la douceur d'une épaule, hoquette, geint, soupire sans maîtrise.

Puis, comme une surprise évidente, elle jouit en pleurant.

L'écho du plaisir la saisit par secousses, au milieu des sanglots.

Basile se redresse, affolé.

– Pourquoi tu pleures ? Jeanne ! J'ai fait un truc qu'il fallait pas ? Dis-moi !

Elle renifle et pleure mais elle rit en même temps, alors ça le calme un peu.

– C'est rien, elle lâche dans un souffle, la voix rayée d'émotion comme un vieux disque à sillons.

Ses deux mains ont glissé dans les cheveux de Basile, saisissent en bataille des poignées de mèches humides de sueur, serrent et desserrent, comme une pulsation.

– Rien ?

– Non, pas rien, au contraire. C'était juste… c'est vraiment très bon, voilà.

– C'est parce que c'est bon que tu pleures ?

– Bcn oui. Tu pleures que quand t'es triste, toi ?

Il la regarde en essayant de démêler les choses pour être certain de ne pas avoir merdé.

– Non, mais moi je pleure jamais, tu sais ! il caracole en bombant le torse, pour la faire rire.

Elle secoue la tête.

– Parfois, quand un truc beau et puissant me traverse, je chiale. Ça veut pas forcément dire que c'est triste.

– C'est *moi*, le truc beau et puissant !

– T'es con…

Elle le repousse des bras et des jambes. Ça l'aide à reprendre contenance, qu'il fasse le malin. Jeanne essuie son visage avec un bout du drap. Se rallonge près de lui, sans le toucher, encore essoufflée, bouleversée.

Ils se taisent. Et puis se mettent à rire, en salves béates, en complicité émue. Se souviennent que la fête continue, à coups de corps dansants, de mots hurlés pour être entendus, de sons élastiques et flous qui remontent jusqu'à eux. Ils s'en foutent puisqu'ils brûlent, qu'ils sont une fête à eux tout seuls.

Au bout du rire, souffles apaisés, ils recommencent. Ou continuent, plus exactement.

LA PROPRIÉTÉ, C'EST LE VOL

Jeanne a tiré ses cheveux en arrière : pas une mèche folle ne sort de la barrette en écaille que lui a prêtée Lucie. Elle a troqué son cuir vert contre le duffle-coat de son adolescence, le bleu marine, qu'elle portait au lycée. Au fond des grandes poches carrées, elle touche du bout des doigts les résidus de tabac sec et un petit papier orange : un passage à l'infirmerie – autorisation à retourner en classe après un faux malaise. Le roulant sous ses doigts, elle retrouve une sensation connue, pas encore ancienne mais déjà révolue. Un arrière-goût d'ennui, de promenade volée au milieu d'un cours sans fin.

Basile se marre en la détaillant :

– Une vraie jeune fille de bonne famille !

– C'est le but.

– Insoupçonnable…

Lui, à l'inverse, a enfoncé un bonnet noir jusqu'à ses sourcils. Mal rasé, un chech crasseux au cou et en cuir élimé : un air qui, de tout temps, fera se retourner un vigile.

En s'approchant du grand magasin, ils s'éloignent l'un de l'autre. Un petit signe de tête, un sourire, et Basile la devance, passe les portes en verre de son pas chaloupé, qu'il accentue encore pour l'occasion. C'est en conquérant qu'il arpente le rez-de-chaussée de l'antre consumériste, multipliant les regards insolents vers les vigiles. En quelques minutes, les mastards ont quitté leur molle vigilance pour le prendre en filature sans discrétion. Basile s'amuse ; il saisit un objet, deux… les repose un peu plus loin. En attrape un autre… et prend d'un coup les escalators, jetant au dessus de son épaule des regards inquiets. Les vigiles s'affolent, sortent les talkies-walkies pour appeler leurs copains du rayon informatique, *Un grand brun, un bonnet, jean déchiré, oui c'est ça... un cuir noir. Tu l'as ? Le lâchez pas, hein. On vous rejoint.*

C'est à ce moment-là que Jeanne entre en scène, fraîcheur et innocence incarnées. L'œil du dernier vigile en faction glisse sur la laine de son manteau bleu, ricoche à peine sur la barrette sage et les mains enfoncées au fond des poches. Grandes poches prêtes à recevoir tout ce que les mains agiles de Jeanne cueillent au fil de l'opération ; ce qui n'y entre pas est tassé dans son sac, une besace sans relief dont l'anse lui traverse la poitrine – qu'elle a jolie, et moulée dans un chemisier léger. L'effet bourgeoise classique et manteau ouvert sur des seins en quasi-transparence, c'est aussi efficace qu'un écran de fumigènes : Jeanne se sert. Ses gestes sont souples, son sourire éclatant, sa démarche sereine. Lorsqu'elle prend les escalators à son tour, son sac est déjà à moitié plein. Basile, lui, promène les vigiles d'un étage à un autre. Elle l'appelle sur son portable.

– C'est moi.

– Alors ?

– Ils sont tous après toi, c'est énorme.

– C'est bon pour toi ?

– Pas encore – puis, croisant une employée au tablier vert – ouiii chéri, je prends des yaourts comme tu aimes !

– Fais vite, Jeanne. Plus t'es rapide, moins on se souvient de toi.

– T'es où ?

– Je les promène au rayon micro-informatique : ils sont fous !

– On se retrouve en bas dans dix minutes.

– D'accord. Hé, Jeanne !

– Quoi ?

– Brassés, avec des morceaux de fruits.

– Hein ?!

– Mes yaourts préférés : brassés, avec des morceaux de fruits.

– C'est ça, ouais !

*

Ils dévalent la rue en riant. Basile porte le sac, lourd de victuailles. Devant la porte du squat, il attrape Jeanne par les hanches, glisse ses mains sous le chemisier.

– Attends ! Pas dans la rue !

– C'est ton côté bourgeoise catho, ça m'excite grave…

– Tu veux m'arracher mon duffle-coat avec les dents ?

– Heu… non, pas avec les dents, c'est galère. Je suis un mec pragmatique.

– Allez, on sonne ! insiste Jeanne.

– Oh, je croyais que t'avais envie…

– *J'ai* envie ! Mais j'en ai plein les poches, et même dans le dos, regarde !

Elle tire un pan du manteau jusqu'à découvrir son dos et les boîtes de biscuits enfoncés dans son jean.

Marc leur ouvre la porte. Jules et Lucie pèlent des courgettes sur la table de la cuisine. Au milieu des pelures de légumes, joyeux comme des gosses, Basile et Jeanne exposent leur butin ; Jeanne égrène au fur et à mesure :

– Viande, charcuterie, pâtes, céréales, cacahuètes, pinard, fromage, beurre, ampoules, produit vaisselle… Oh, j'ai pris des biscuits !

Elle dégaine les paquets, coincés dans son dos.

– Génial ! s'écrie Jules. T'es sortie sans problème ?

– Aucun : ils étaient tous sur Basile, à espérer qu'il sonne au passage des caisses. Du coup, personne n'a fait gaffe à mon sac blindé.

– Ça, c'est de l'effort pour le collectif ! T'as pensé à moi, sinon ?

Jeanne racle le fond du sac et en sort un paquet de quinoa.

– C'est vraiment parce que je t'aime bien, hein ! Tous ces machins diététiques, franchement…

– T'as tort, Jeanne, reprend Lucie. C'est très sain, le quinoa…

– Ouais-ouais, je sais. Pas boire d'alcool aussi, et pas fumer non plus. Désolée mais la vie trop saine, je crois que ça m'angoisse.

– Ah oui ?

– J'ai peur de me transformer en légume, elle lâche en riant, les yeux dans les épluchures.

Basile détaille les victuailles et prend soudain un air profondément choqué :

– Dis donc, ma petite courgette, où sont mes yaourts ?

– Dans ton cul, gros malin.

– Oh !

Lucie coupe le faux conflit et s'emballe gaiement :

– Moi, j'ai récupéré des cagettes de fruits aux invendus du marché, suffisamment pour faire de la confiture. Si t'es douée pour la fauche, Jeanne, je veux bien que tu me récupères du sucre en poudre, genre quatre ou cinq kilos.

– C'est jouable. Tu m'apprendras, pour les confitures ?

– Bien sûr. Jules est doué aussi, plus que moi.

Le barbu sourit benoîtement sous le compliment. Il se lève pour aider Marc à remplir le frigo. Marc, lui, plane très loin des confitures, du quinoa et du repas en préparation. Il range le butin de ses copains, mâchoire serrée et tête ailleurs.

– Et ton nouveau boulot ? demande Jeanne.

Lucie fait la moue :

– J'aime bien, pour l'instant. Le bar est pas tout près, je suis obligée de prendre le métro, mais… c'est un boulot, quoi. C'est quand même chouette.

– Mieux que le Droit ?

– Tu m'étonnes… Mon père fait la gueule, mais je te jure : ça n'a pas de prix, de plus voir ces têtes de cons.

C'est vrai qu'elle semble plus heureuse, Lucie ; ses cheveux tressés la font ressembler à une icône hippie, son sourire est une image de propagande pour le retour à la terre. Même son maintien élégant – dos bien droit et mots posés – ne dépare pas dans ce pull immense en grosses mailles violettes.

Jeanne croise le regard de Basile, prunelles sautillant d'un bouton à l'autre de son chemisier. Il a enlevé son foulard et son cou s'offre à elle – le va-et-vient de sa pomme d'Adam en déglutition affamée.

– Tu veux qu'on vous aide, pour les légumes ?

Lucie secoue la tête, les yeux brillants de malice :

– Allez, cassez-vous les lapins, c'est quartier libre. Jules et moi, on assure le repas, ce soir.

Marc roule des épaules sous son tee-shirt noir. Il ajoute :

– Apparemment, on n'a pas encore été repérés. Même la fête de l'autre jour est passée pour une crémaillère d'étudiants… Inviter la fille du voisin d'en face, c'était plutôt une bonne idée… Ça veut dire qu'on va arriver tranquillou sur la trêve hivernale.

– La trêve ? s'étonne Basile. Mais elle existe plus pour les squats, depuis Sarkozy !

– Vrai, mais y a comme une vieille habitude… Si on reste discrets, je pense pas qu'ils nous enverront les flics en plein hiver.

Puis, Marc ajoute :

– Cette nuit, on se rassemble sur le port autonome, pour empêcher une expulsion. On devrait être une centaine à peu près.

Il n'invite pas, propose à peine, mais son autorité naturelle a l'effet d'un ordre.

– Je viens ! avance Lucie.

– Moi aussi, ajoute Jules.

Basile et Jeanne se regardent, hésitants, sachant pertinemment que la manif ne fait pas le poids ce soir, mais aucun des deux n'ose l'énoncer.

Marc secoue la tête, sourire carnassier, et plante un poing amical dans l'épaule de Basile :

– Même si vous venez pas, gardez vos portables allumés : s'il y a des arrestations, je vous tiens au courant.

IL NEIGE

Basile dort en travers du lit, le visage enfoui dans l'oreiller. Jeanne pose ses lèvres au creux de son coude, résiste à l'envie de mordre la chair, lèche des yeux ce corps qui lui devient familier. Les épaules, le creux du dos, la constellation anarchique de ses grains de beauté – elle s'y perd, glisse, rebondit. Elle imprime chaque ligne, chaque fossette, comme s'il allait disparaître, et puis se redresse enfin, parce qu'elle doit filer en cours.

Frontales et résignées, Jeanne et Alison avancent vers l'entrée de la fac. Elles observent, agacées, les mouvements d'agitation d'une poignée d'étudiants : pronostics de sujets pour les partiels de janvier. Jules est arrivé avant elles, il avait un cours très tôt mais il est descendu prendre l'air avant d'y retourner. Le voir au milieu de tous ces visages leur fait du bien. Il leur désigne du menton les nouvelles caméras de surveillance, installées au-dessus des portes principales. Les trois, dans un mouvement complice, penchent la tête sur le côté et sautillent, attrapés par un même fou rire.

Le ciel est blanc, un blanc opaque et froid.

– Ça a pas l'air de les déranger, les caméras, constate Jules en regardant les étudiants entrer et sortir en grappes.

– Quand tu penses qu'on parle de privatiser la fac et que personne en a rien à foutre…

– Non, je crois pas qu'ils s'en foutent. C'est juste qu'ils ont d'autres priorités.

Eux, les autres. Comme une nouvelle frontière impénétrable. Ils éprouvent la marge avec une certaine jubilation, mêlée à du regret. Marc dirait sans doute : *Les barricades n'ont que deux côtés*, mais Marc manque de nuances. Sa rage est pure, totale, en accord avec ses idées, et celui qui ne pense pas comme lui devient vite un *ennemi de classe*. Un ennemi à combattre, un collabo. C'est ce qui lui donne de la force. Jeanne, elle, se sent parfois coupée en deux, entre les convictions qui l'animent, l'exaltent – et le doute, porteur d'immobilisme. L'image de son père, passif et planant, l'agresse et mord ses hésitations, souvent.

– Il va neiger, annonce Jules, nez en l'air. Il y a une odeur particulière avant la neige, je vous jure.

– On te croit.

Les filles lui sourient.

Comme des étrangers en terre ennemie, ils se tiennent du regard, solidaires.

– On se retrouve à midi ? propose Alison en s'éloignant déjà.

– Oh oui…

– Hé, attendez !

Jules et Alison se retournent. Jeanne regarde, l'air halluciné, le ciel blanc qui menace.

– Regardez !

La neige commence à tomber – des flocons de la taille de grains de raisin. Jules rigole dans l'air glacé. Ils restent là, tous les trois, tandis que les étudiants s'engouffrent dans le grand hall. Ils écartent les bras, cous dévissés vers le ciel. Jeanne respire fort, exprès :

136

la buée sort de sa bouche comme un souffle de dragon et la sensation de respirer des cristaux gelés à chaque inspiration lui cisaille les amygdales :

– On se tire ?

– Où ?

Jeanne dégringole les marches, s'élance vers la sortie. Elle crie :

– Je sais pas ! Mais c'est bien trop beau pour rester enfermés, non ?

LE SOURIRE D'ULRIKE MEINHOF

Marc caresse du pouce le grain épais du papier. Regarde encore une fois la photo d'Ulrike Meinhof, prise en 64, si belle et vivante : chemisier froissé, doigts joueurs, regard presque moqueur tendu vers l'objectif. Quarante et un ans au moment de sa mort en prison, par pendaison, au mois de mai 1976... Il s'est toujours demandé qui a pris cette photo. Pour qui était ce sourire complice ? Marc pose le livre sur la tranche. Tend ses mains devant lui, fait bouger le chat noir en serrant le poing. Ulrike Meinhof. La bande à Baader. Les années de plomb. Une époque où l'extrême gauche faisait trembler les patrons.

Marc ne connaît de Berlin que les derniers punks résistants au système, éternelles victimes d'avant ou d'après le Mur. Toujours dans la chute, même longtemps après 89. Mais la Fraction armée rouge du Berlin sauvage et résolument en guerre l'a toujours fasciné. Une époque qu'il aurait aimé vivre, où les luttes avaient un sens et se jouaient sans concessions. Aujourd'hui, tout s'est ramolli, tout est trop confortable. Même les plus révoltés se laissent coincer par la dernière saison de Breaking Bad et un pack de bières à la vodka. Même lui. Il n'est pas meilleur qu'un autre, il le sait. L'insurrection demande une vraie abnégation, la foi n'est pas un chemin facile. Et pourtant, il le sent, ça ne lui suffit pas, de penser autrement. Il sait que la situation est pire qu'il y a vingt ans, et que tout est fait pour que crèvent les foyers de résistance, jusqu'à rendre impensable la clandestinité. Sauf celle des invisibles qui traversent la planète pour gratter les poubelles européennes.

Lui pense toujours à une autre clandestinité ; celle que l'on choisit, le pas que l'on franchit vers une autre réalité – la même, en fait, mais perçue autrement. Sinon quoi ? Aller dans le mur, accepter la violence d'État, voir les banques s'enrichir, les gens s'endetter puis s'appauvrir jusqu'à la bêtise et l'anéantissement de toute révolte, et ne *rien* faire ?

Cette lutte à laquelle Marc rêve en répondant au sourire d'Ulrike Meinhof, il sait aussi où elle t'emmène, il sait comment ça peut finir. Alors, comme les autres, il en reste au fantasme, il y pense sans le faire. Se servir d'une arme ? Et contre *qui*, exactement ? Les banques ? Le Medef ? Le gouvernement ? Les flics ? Marc continue d'en parler, parler, parler, pour se donner l'impression d'agir.

Il lève la tête, observe les traînées de mousse blanche au travers de son verre vide. Il n'y a pas grand monde en terrasse, ce matin. Il fait trop froid. Il ferme le bouquin.

Au fond, ce qu'il aimerait vraiment, c'est une insurrection, une révolution sociale, une explosion collective qui monterait à l'assaut du monde d'en haut. Un truc tellement puissant qu'aucun média au monde ne pourrait faire passer ça pour de l'agitation de casseurs. Un truc tellement puissant que le peuple renverserait aussi les médias, d'ailleurs, pour en faire enfin un outil d'information, et non de propagande. Une révolution, quoi.

Dans quelques mois, le contre-sommet rassemblera des dizaines de milliers de personnes. Des Grecs, des

Espagnols, des Sud-Américains. Des révoltés comme lui et ceux du squat, qui pensent le monde autrement, pour qui le mot *Communisme* n'est pas une injure, pas plus qu'*Anarchie, Collectif, Mouvement social, Luttes solidaires*. Parce qu'il le sait : il n'est pas seul. Alors pourquoi sont-ils tous tellement isolés, bouffés, rendus impuissants et désarmés, peureux ?

Les questions s'agitent en lui, depuis longtemps. C'est pour ça qu'il écrit des articles incendiaires dans un journal libertaire, lu par des convaincus. Déménageur et chroniqueur – le corps et la tête. Marc se demande. Il brûle. Un peu comme un enfant s'approche d'une chose cachée et qu'il désire, à qui l'on dit : *« Tu chauffes »*.

Slimane s'approche de sa table, pose une nouvelle bière devant lui.

— Alors ? Ça se passe comment, cette cohabitation ?

— Toujours au courant de tout, hein ?

Les épaules de Slimane s'agitent sous le rire, ses yeux brillent.

— Toujours…

Marc lève son verre vers le vieux.

— Merci pour la bière. Oui, ça se passe bien. Pas de souci pour l'instant. Ni avec les voisins ni avec la police.

Il regarde Slimane repartir vers le comptoir. Il pense à tout ce qu'a dû vivre cet homme, au morceau d'Histoire qu'il a traversé. Marc sort son portable pour vérifier l'heure : un message de Basile, son chantier est annulé à cause du temps. *T'es où ?*

Marc répond, galère avec les touches à cause de ses doigts gourds. Basile… on dirait que tout lui passe au-dessus de la tête. Il a beau faire un job de manuel, c'est un rêveur. Comme s'il ne prenait vraiment rien très au sérieux. Toujours à faire le con, à rire de tout. Mais c'est son ami, un vrai de vrai en qui il a totalement confiance. Et lorsque Marc s'imagine en leader d'un groupe révolutionnaire armé, traqué par les polices du monde entier pour avoir fait sauter plusieurs banques à coups d'explosifs, hé bien… c'est toujours à Basile qu'il demande de l'abriter quelque temps, « pendant que les choses se tassent ». C'est une preuve, ça.

Et puis il était avec lui, le jour où Marc s'est fait tatouer son félin hérissé sur le dos de la main. Basile adore raconter qu'il lui tenait l'autre main en l'écoutant chouiner que ça faisait *tellement* mal…

Du bout du boulevard surgit son ami, le pas dansant et la besace battant contre sa cuisse. Marc le regarde arriver, le nez enfoncé dans son keffieh. Des flocons virevoltent légèrement dans l'air opaque. Il desserre le poing, se souvient du picotement des aiguilles enfoncées dans la chair. De Basile, hilare, lui disant : *À la place d'un petit chat, tu préfères pas une fée ? Ou une licorne ? Ou un chiot ? Ooooh, je sais : un dauphin ! Un dauphin rouge et noir, un dauphin révolutionnaire !*

Marc, il y tient, à son chat hérissé, symbole des anarcho-syndicalistes. Merde, il a bien le droit d'aimer les symboles, non ?

Basile arrive à sa hauteur, visage éclairé d'une joie contagieuse. Il lève les yeux vers le ciel, et s'écrie, émerveillé :

– Putain, regarde comme c'est beau ! Marc, regarde : il neige !

VACANCES

C'est Basile qui a mis la main sur le disque : des chants de Noël qu'il s'amuse à lancer sur la platine, pour le plaisir de voir les autres se décomposer, rire et lui hurler d'éteindre cette horreur.

La ville est sous la neige mais les routes et rues déjà boueuses atténuent l'enthousiasme des citadins. Jules s'inquiète pour ses plantes, s'évertue à tendre des sacs poubelle de chantier sur ses protégées. Basile lui a promis de récupérer une bâche à son boulot, mais soit il a oublié, soit il n'en a pas trouvé. Tout à l'heure, ils ont tous joué dans le jardin : une bataille d'enfants, de la neige plein le cou, des cris et des équipes. Jules a râlé pour qu'on l'aide, mais autant gueuler dans le désert.

Maintenant, Alison bouquine pour ne pas penser à son premier retour en famille et au village, depuis la rentrée. Lucie cuisine des muffins pour ne pas arriver chez ses parents les mains vides, demain. Marc vire le disque des chants de Noël pour poser une autre vieillerie musicale sur l'appareil : Victor Jara. *Te recuerdo Amanda ?* emplit le salon d'une douceur qui frôle la nostalgie. Tonio est sorti. Au bistrot sans doute, avec d'autres copains.

Basile est le seul à envisager Noël comme une soirée sympa, qu'il passera avec sa mère. Les autres traînent des pieds, entre franche rébellion et compromis familiaux.

Jeanne a décidé de boycotter l'événement, fêtant une indépendance toute neuve dont elle n'est pas peu fière. Son père n'a rien dit, ou quelque chose comme *Amuse-toi bien ma chérie, viens me voir quand tu auras du temps*. Il ira chez son frère, il y aura les cousins de Jeanne, mais elle n'a pas envie de les voir. Et ça fait longtemps qu'elle ne passe plus les fêtes avec sa mère. Elle oscille entre le soulagement et autre chose, qu'elle n'arrive pas encore à comprendre. Pour l'instant, elle savoure l'ambiance de vacances qui règne dans le squat surchauffé, le ballet de leurs va-et-vient communs, les films matés ensemble dans le creux des canapés, et la présence de Basile qui n'a plus de chantiers jusqu'en janvier.

Elle se dit qu'elle a bien fait, que refuser Noël est un acte de résistance : Noël, grande fête de la consommation et du petit Jésus. Instants de caricature, de conflits larvés éclatant sous les lumières artificielles du sapin, rêves de mômes souvent déçus, fausses réconciliations. Elle glisse comme un chiffon le long du canapé rouge, pose sa tête sur la cuisse de Basile.

– T'as jamais connu ton père ?

– Non. Je crois bien qu'il était naze, mais j'ai jamais trop posé de questions.

– Pourquoi ?

– Ça fait de la peine à ma mère, alors j'aime pas.

– Noël, c'était comment, chez toi ?

– Plutôt sympa, sauf que c'est arrivé que ma mère fasse des extras de serveuse les soirs de Noël, parce que c'est bien payé. Du coup, on faisait notre petit réveillon à nous le lendemain, ou deux jours plus tard.

Il s'écrie, d'un coup :

– Tu veux pas venir avec moi ?

– Où ça ?

– Chez ma mère, pour Noël.

Jeanne se crispe. Un petit animal vient se loger sous son nombril, lui griffe les tripes. *Chez ma mère. Pour Noël.* Le spectre des présentations, de l'officiel, du petit couple qui se forme. Ils sont bien plus que ça, n'est-ce pas ? Elle cherche la confirmation dans l'étreinte, le nez contre son ventre, écrasé dans les mailles du pull. Elle hésite pourtant, elle a aussi envie de découvrir un nouveau morceau de la vie de Basile, mais le plaisir tout neuf de s'être détachée de l'obligation familiale l'excite trop.

– Je sais pas si c'est une bonne idée.

– C'est toi qui vois. Mais c'est pas un plan famille nombreuse avec mille cousins qui vont te demander quand est-ce qu'on fait un gosse !

– Encore heureux…

Ils se mettent à rire, s'engouffrent dans l'imaginaire, l'un et l'autre, sans se le dire. Secouent la tête d'un même élan, s'embrassent.

– Et lâche l'affaire, avec mon père. C'est pas parce que t'adores le tien que le mien a tant d'importance.

Alison lève la tête, pose son bouquin sur l'accoudoir.

– Moi, le mien, je préférerais ne pas le connaître. Je te comprends, Basile.

– À ce point ?

– À ce point.

Alison sent que les copains commencent à imaginer les pires trucs, alors elle soupire.

– Non mais c'est pas un monstre, non plus. Juste un connard.

Elle remonte ses jambes, Doc montantes griffant le fauteuil. Elle a instantanément les yeux plissés de haine d'avoir évoqué son père. Elle avale une grande goulée de bière, garde la bouteille contre elle. Jeanne et Basile la regardent à fond, suspendent leurs gestes. Alison se redresse.

– Je vous raconte un truc. Un truc pas cool.

– Vas-y.

– Un jour, quand j'étais môme, j'ai récupéré un lapin, un tout petit que sa mère rejetait. C'est une voisine qui me l'avait donné. Je l'adorais, ce lapin. Je l'avais appelé Bambi – je sais, c'est débile, tant qu'à faire dans la référence moisie j'aurais dû l'appeler Panpan – mais va savoir pourquoi, je lâchais pas le morceau : je répétais *« Il s'appelle Bambi »*. Bon, j'avais six ans…

Sa voix ne tremble pas. Pourtant, c'est la première fois de sa vie qu'elle raconte cette histoire.

– Mon père, ça l'énervait que je traîne partout avec mon lapin. Il râlait tout le temps après lui, comme quoi il bouffait les plinthes, les tuyaux. Bambi a grandi jusqu'à ressembler à un gros chat castré. C'est con mais je l'adorais, ce lapin.

– Ben non Ali, c'est pas con, dit Jeanne pour l'encourager à continuer.

Elle voit bien que sa copine bute sur le souvenir, que les mots sortent péniblement, inédits.

– Un soir, je suis rentrée à la maison un peu tard. J'avais joué chez une copine. Le repas était déjà prêt.

Alison serre les dents, sourit sans joie. Elle a du mal à continuer.

– Ça sentait super bon, et j'avais super faim.

– Oh non…, gémit Jeanne.

– Quoi ? demande Basile, qui n'a pas compris.

Alison serre les dents. Les années ont passé mais l'émotion est toujours là, et la colère, intacte.

– J'ai mangé, et j'ai pris du rab. Et l'autre connard, il me regardait bouffer en se marrant. Il disait : *C'est bon, hein ? Tu te régales ?*

Même Victor Jara a arrêté de chanter. Marc grimace. Alison vide sa bière, se tait à nouveau.

– Quel père ferait ça, franchement ? Quel père serait assez salaud pour faire bouffer à sa gosse son propre animal ?

Jeanne se lève et file dans la cuisine. Elle revient avec d'autres bières, en passe une à chacun. Elle attrape la tête d'Alison au passage, l'embrasse sur la tempe. Alison sourit et s'ébroue comme un petit animal. Elle ne pleure pas.

– Allez, on parle d'autre chose. Elle est loin, la famille.

24 DÉCEMBRE

Sur le quai de la gare, Ali attend le train. Autour d'elle, c'est du bruit, des cris, des familles, des jeunes quittant la grande ville pour rentrer passer les fêtes dans les villages qui jalonnent la ligne ferroviaire. De belles fringues pour l'occasion, des yeux qui brillent, des claques qui fusent, des embrassades.

Elle a remonté son écharpe sur son nez, planté ses poings au fond de ses poches. Elle envie Jeanne pour son courage, sa détermination à refuser le *dictat de Noël*, comme ils le nomment. Alison aurait pu, Alison aurait dû. Elle ne sait pas trop. Sûr qu'elle n'a pas envie de revoir le *gros con*, mais sa mère, quand même...

Elle a l'impression de perdre toutes ses forces, à l'idée de retourner *là-bas*. Elle se ronge l'ongle du pouce. Mate son reflet dans la vitre du train : *trop maigre*, dira son père ; *mauvaise mine*, dira sa mère.

Elle hésite encore à monter dans le train, fume une dernière clope sur le quai. Se dit que parfois, les choses se décident à un cheveu, les virages se prennent sans préavis. Elle joue avec son envie de rester à quai, se consume en même temps que sa cigarette. Un grand mec bien habillé au sourire contagieux la bouscule et s'excuse, avant de lui lancer « Joyeux Noël ! » et de s'engouffrer dans le train pour rejoindre son amoureuse, qu'il enlace comme dans un film. *Au fond, la vie est quand même belle*, elle pense en écrasant son mégot.

*

– Ça ira, comme ça ?

– Mais oui, t'es très bien.

Jules se gratte la barbe, défait le bouton du col de sa chemise.

– Je suis jamais très à l'aise avec eux, tu sais.

– Je sais. Mais y aura mon frère.

Jules sourit.

– Je l'aime bien, ton frangin.

– Lui aussi, il t'aime bien.

Ils sortent du métro, remontent à la surface comme à regret. La foule des grands boulevards les enveloppe. Lucie prend de grandes inspirations et expire comme avant un challenge sportif.

– Rappelle-moi pourquoi on y va ?

– Parce que c'est tes parents et que c'est Noël et que tu les aimes malgré tout.

– Ah oui.

– Et je viens avec toi parce que mes parents à moi vivent à l'autre bout de la France. Et parce que je t'aime.

– Oui.

– Et arrête de faire cette tête, Luce. C'est juste un mauvais moment à passer !

Lucie sourit enfin, se détend légèrement en pressant plus fort la main de Jules.

– On n'est pas un peu cons de s'imposer des trucs pareils ?

– Bah, je sais pas. On va pas non plus refuser pour refuser, tu vois ?

– Non, je vois pas.

Jules cherche un peu ses mots, le chemin qui lui fait penser que finalement, Noël en famille, c'est pas la mort.

– Je veux dire : ils sont gentils, ils t'aiment. C'est super important pour ta mère. Bien sûr que tu pourrais refuser, mais…

– Quoi ?

Jules n'y arrive pas. Il n'a jamais été doué pour expliquer les choses, argumenter et tout. Pas comme Marc ou Basile. C'est un taiseux, un qui ressent mais ne sait pas dire. Un qui a bégayé à l'oral du Bac, bégayé jusqu'au rougissement pivoine, jusqu'au vide, jusqu'au soupir excédé de l'examinateur. Jules aimerait bien dire à Lucie que s'il avait trois ronds de côté, il prendrait le train pour rentrer voir ses parents à lui, et fêter Noël chez ses grands-parents qu'il adore. Les fruits en plastique dans la coupe en faux cristal. L'horloge qui chante le carillon de Big Ben. Les monnaies-du-Pape séchées dans les obus évidés – souvenir de la Grande Guerre. Se laisser coincer par sa mamie au fond du couloir du minuscule appartement, *Tiens mon chéri, c'est pour toi, ne le dis pas à ta mère*, et sentir les vieilles mains tremblantes lui glisser un billet de dix euros dans la paume, comme s'il s'agissait d'un trésor. Même bien habillé, son papi porterait des pantoufles, et ça énerverait son père.

– Je dis juste que… c'est pas grand-chose pour nous, et ça leur fait plaisir, voilà.

Lucie soupire. Ils sont arrivés devant la porte d'un très bel immeuble. Elle embrasse Jules, ne peut s'empêcher de refermer son bouton, au col de sa chemise.

– Bon, ben on y va, alors.

Elle sonne.

*

151

Tonio s'étonne :

– T'es sûre de préférer rester ici avec moi plutôt que de fêter Noël en famille ?

– Oui.

– Ou avec Basile ?

– J'aurais préféré qu'il reste avec nous, c'est sûr, mais de là à passer Noël avec sa mère…

Jeanne engouffre une poignée de chips au paprika. Ils ont sorti tout un tas de choses grasses et salées à grignoter, et une première bouteille de Monbazillac trône entre eux, sur la table de la cuisine. Ils la boivent doucement, dans les verres à pied de circonstance, puisqu'il y a tout ce qu'il faut pour ça. Lorsqu'ils trinquent, ils tendent ensuite leurs verres en direction de la Baronne, qui fait partie des meubles et des habitants à la fois.

– C'est un peu vache, non ?

– Comment ça ?

– Ben, je sais pas, ton père il est tout seul.

– Mon père il est *toujours* tout seul. Et justement non, ce soir il est chez mon oncle. Tu me trouves égoïste ?

– Toi, égoïste ? Jamais de la vie. Je me dis simplement qu'il doit avoir des souvenirs incroyables de vos Noëls, de quand tu étais gosse et que tu ouvrais tes cadeaux, tu vois ?

Jeanne voit très bien. Une grosse vague de culpabilité et de honte la traverse, boule d'émotion qui lui donne envie de pleurer.

– Justement.

– Justement quoi ?

C'est en le disant qu'elle le comprend :

– J'ai besoin de le faire un peu disparaître. Pas pour faire comme s'il n'existait pas, mais… pour exister sans lui, tu vois ?

La sagesse de la sentence frappe Tonio, qui boit son verre en souriant.

– T'en as dans la tronche, pour une merdeuse.

– Vieux débris !

Elle lui frappe l'épaule pour de faux, sensible au compliment.

– Et toi ? T'as pas de famille ?

Tonio serre les dents sous la question, sa mâchoire se crispe. Il plonge ses yeux dans ceux de la *merdeuse*, l'observe longtemps, mais elle ne scille pas, soutient l'affrontement dans un mélange de défi et de tendresse. C'est lui qui craque en premier, baisse le regard vers son verre vide.

– Ressers-moi, ma grande, la nuit va être longue.

*

– Marc ! s'écrie la fillette en ouvrant la porte de l'appartement. Tonton Marc !

– M'appelle pas Tonton, j'ai l'impression d'être super vieux.

Il embrasse la gosse surexcitée qui se pend à son pull :

– C'est Noël, y aura des cadeaux ! T'as un cadeau pour moi ?

– Oui.

– Maman et papa sont dans la cuisine parce qu'ils préparent un dessert... T'as vu ma jupe de fée ?

– Très jolie.

– Tu restes dormir à la maison ? T'es pas venu avec une amoureuse ?

– Heu... non.

– J'aimais bien celle de la dernière fois avec des bouts de tapis sur la tête !

– Des dreadlocks, ma puce.

– Oui, voilà. Des bouts de tapis, rouges. Avec des perles au bout. T'as vu les décorations ? C'est moi qui les ai faites avec maman !

Les vitres de l'appartement sont couvertes de sapins miniatures, Pères Noël bedonnants, étoiles aux formes bizarres. Les guirlandes lumineuses clignotent autour du sapin. Marc s'avance, retire sa veste. Ça sent la viande au four et le chocolat, ça pue la famille parfaite jusqu'à la nausée – jusqu'au rire évidemment cristallin de sa sœur, qui résonne dans la cuisine. La gosse braille :

– Maman ! Y a Marc qui est arrivé !

*

– Alors vous continuez vos études d'Histoire, Jules ?

– Oui, toujours.

Le père de Lucie sourit, lui tend un verre de champagne.

– C'est quoi, votre « période préférée », si je puis dire ?

Jules toussote un peu, prend sur lui pour ne pas se laisser engloutir par la timidité. Il pense à l'Histoire, il pense à *son* sujet, *sa* période, et puisqu'on le lui demande…

– 36, monsieur. La guerre d'Espagne, et le Front populaire.

Sourire un peu figé du père. Il acquiesce pourtant, semble intéressé.

– Une période passionnante, effectivement.

Il se tourne vers sa fille, revient vers Jules.

– Et vous soutenez la décision de Lucie ?

– Pardon ?

– Quitter son Droit pour être *serveuse* ?

154

Jules sent le vent tourner. Il a vaguement baissé la garde, persuadé que ce grand bonhomme autoritaire essayait *vraiment* de faire sa connaissance. Là, il se sent comme Durruti face aux Franquistes : vaillant mais en déroute.

– Laisse-le tranquille, chéri. C'est Noël…

La mère de Lucie lui fait passer un plat de toasts, comme une diversion ; Jules saisit l'occasion et croque dans une tartine, qui le rend muet et mâchouillant.

– Non mais j'aimerais savoir, tout de même ! Savoir si je suis le seul à trouver ce comportement totalement immature ?! Ou si d'autres que moi prennent les choses au sérieux…

Jules ne peut pas répondre puisqu'il a la bouche pleine. Lucie, tendue et impuissante, ne dit rien non plus : ça fait bientôt vingt ans qu'elle n'ose pas le faire. Mais son frère, lui…

– Ouais, c'est vrai, la frangine : tu veux plus faire le même métier que papa ? Pourtant, regarde comme ça lui réussit bien…

– Nicolas !

Le père se gonfle de colère, excédé par l'insolence de son fils, coutumière depuis un an ou deux.

– Tu veux pas gagner plein de thunes et faire une belle famille de branleurs ?

– Nicolas, ça suffit !

– Des petits ingrats qui connaissent pas leur chance et loupent leur Bac, ou lâchent leurs études…

Même Lucie est mal à l'aise, alors qu'elle a si souvent rêvé d'affronter son père.

– … ou deviennent pédé, ou se droguent !

– Arrête, Nico, s'il te plaît, murmure Lucie.

La mère supplie son fils du regard, attrape la bouteille de champagne et clame d'un air enjoué :

– Qui je ressers ?

Tout le monde dans la pièce, du fils au père, en passant par Lucie et Jules, a mal pour elle, pour son petit théâtre désespéré. Jules est le seul à l'aider :

– Moi, j'en veux bien.

Elle le regarde avec gratitude, remplit son verre avec application, un sourire résolu sur son visage parfait – *Luce dans vingt-cinq ans*, se dit Jules. *J'espère qu'elle sera plus heureuse, quand même.*

*

Basile gare la voiture en bas de l'immeuble. La banlieue c'est moche, mais pour se garer, c'est mieux que le centre-ville. Surtout quand on conduit une grosse épave. C'est Tonio qui lui a prêté son camion sans âge, sorte de maison en tôle qui transporterait une mini-colonie de vacances : sièges en cuir et fer vissés au sol, boîtier de vitesses qui sort du plancher. Rien pour écouter de la musique, alors il a chanté *A las Barricadas* tout le long du chemin, criant pour couvrir le bruit du moteur.

Comme il a encore sa clef, il ne sonne pas, entre dans le hall mille fois traversé, grimpe les escaliers mille fois pris – traînant des pieds ou en courant. Cette fois il monte lentement, dans les odeurs de nourriture mélangées qui se précisent au fil des paliers. Mue par un sixième sens, la mère de Basile ouvre la porte pile poil au moment où il atteint le troisième.

– Ben c'est pas trop tôt mon biquet, j'ai failli boulotter les huîtres toute seule.

– T'aurais pas fait ça ?! s'insurge son grand fils.

– Oh que si.

Au temps pour le sacrifice maternel. Basile enlace sa mère, minuscule dans ses grands bras.

– Allez, entre. T'es venu tout seul ?

– Jeanne a préféré rester au squat.

– Elle a eu peur de moi, ta nouvelle copine ?

– T'es bête ! Non, je crois qu'elle voulait vraiment pas fêter Noël.

– Pourquoi t'es pas resté avec elle ?

Basile en ouvre la bouche d'étonnement, comme un poisson ou un enfant.

– Tu voulais pas que je vienne ?

– Bien sûr que si, mais entre ta copine et ta mère... Basile, j'aurais compris, tout de même !

– J'ai cru que... J'ai pensé... Enfin, t'es toute seule, quoi.

Au froncement de sourcils de sa mère, il rectifie le tir :

– Non mais je veux dire, je sais que tu peux très bien rester seule, mais... t'es ma maman, merde.

– Oh, mon biquet, t'es mignon.

– Je suis pas *mignon*, je suis carrément beau gosse, et je suis un fils qui assure grave, tu pourrais le reconnaître !

Sa mère secoue la tête, amusée.

– C'est vrai que t'as fait des progrès, ces derniers temps. Allez, viens les ouvrir, ces huîtres, puisque t'es venu passer Noël avec ta vieille mère.

– Ah ? Elles sont pas ouvertes ?

– Ben non, je t'attendais pour que tu le fasses. Qui c'est le bon fils à sa maman chérie ? Mmmh ?

*

– Mademoiselle ?... Mademoiselle !

Ali sursaute. Le contrôleur lui sourit. Pour ne pas trop réfléchir, elle s'est endormie, appuyée contre la vitre.

157

Deux heures de trajet qu'elle n'a pas senties passer. Du coup, elle tend son billet comme une automate, sonnée par les restes de sommeil.

– Vous êtes arrivée dans cinq minutes, jeune fille, annonce le contrôleur.

Et il ajoute un *Joyeux Noël*, en touchant sa casquette.

Visant son reflet dans la vitre du train, elle efface avec les pouces les traces de maquillage qui lui donnent l'air d'un panda. Le grand type est toujours là, deux rangs plus loin, à bécoter sa copine. Joyeux Noël, joyeux Noël.

Joyeux Noël mon cul.

Le train ralentit et s'arrête. Elle descend, hésitante, reconnaît chaque morceau d'ici, chaque couleur ; même de nuit, le ciel a une autre saveur, l'air un goût d'amertume et de temps perdu. Heureusement il y a la neige, qui tapisse de silence et l'apaise un peu. Traverser les voies est une épreuve. Chaque pas est une épreuve.

Joyeux Noël ! avait braillé sa tante en passant la porte ; Alison ne sait pas bien dater ce réveillon-là, mais elle sait que c'était il y a plus de dix ans, parce qu'elle serrait contre elle sa Barbie-sirène, celle qui avait fini dans la gueule d'un chien l'année de ses huit ans, et parce qu'elle croyait encore au Père Noël. C'est vrai qu'elle y avait cru longtemps, elle s'était accrochée au mythe comme à une bouée de secours dans une vie sans merveilleux. L'idée d'un bonhomme bienveillant qui distribue des cadeaux, c'était assez magnifique pour qu'elle ne lâche pas l'affaire, même si les copines partageaient déjà leurs doutes dans la cour de récréation. Des cadeaux, elle n'en avait pas des masses, mais c'était toujours ça de pris. Et lorsqu'elle mesurait l'écart entre ses cadeaux et ceux des autres, elle se disait que peut-être, elle n'avait pas mérité plus. C'est con un môme, ça s'adapte à tout, même au pire.

Le Père Noël, donc. Cinq ou six ans.

Oui, c'est ça. La Barbie-sirène, et la robe saumon de sa mère, avec des brillants sur les bretelles – elle n'était pas encore si grosse, c'était il y a vraiment longtemps. *Joyeux Noël !* avait braillé sa tante, elle s'en souvient. Elle portait un sac en plastique avec des paquets dedans, des paquets avec des couleurs et du bolduc doré. *Le Père Noël est passé chez moi, il a amené des choses pour vous !*

Alison aimait bien sa tante, enfin celle-ci, parce que des tantes, elle en a beaucoup. Mais la maison était bien trop petite pour accueillir toute la famille. D'année en année, ce n'était pas les mêmes avec qui ils fêtaient Noël. Son père n'était pas encore rentré ce soir-là, il bossait, un job de quelques jours qui trouait son chômage. Alison se souvient que c'était bon, qu'il ne soit pas à la maison. Tout était plus doux, plus tranquille. Elle pouvait passer des heures entières à façonner une vie à ses poupées, couchée sous la table du salon, leur fabriquer des maisons, faire les dialogues à haute voix sans être rabrouée ou envoyée dans sa chambre. Sans subir les grognements hargneux du *gros con*, qu'elle appelait encore *Papa* à l'époque, avec une majuscule d'amour.

Ce fameux soir de Noël, sa tante, la plus jeune sœur de son père, avait rejoint la mère d'Alison à la cuisine, pour l'aider à préparer le repas. Elles riaient ensemble d'un secret visiblement révélé, quelque chose de nouveau qui rendait sa tante heureuse. Des histoires de grands. Et puis le père était arrivé.

Surprise de taille pour Alison : son père était un Père Noël. Non, son père était *le* Père Noël : en rouge et blanc, jusqu'au bonnet à pompon, jusqu'à la barbe blanche et la grosse ceinture noire serrée sur la bedaine. Bourré, le Père Noël. Dans la tête d'Alison, la confusion était immense. Elle avait osé poser ses petites mains sur le velours synthétique de la veste rouge et magique :

– C'est toi le Père Noël, papa ?

Son père l'avait regardée sans sourire, l'œil tombant de fatigue et plein de l'humiliation d'avoir joué ce rôle ridicule au centre commercial, cinq jours durant.

– Il existe pas, ton Père Noël. T'as plus l'âge de croire à ces conneries, merde.

Sa mère et sa tante avaient surgi de la cuisine.

– Mais pourquoi tu lui dis ça ? Elle est encore petite ! avait émis sa mère.

– Oh, ta gueule. Je suis crevé. Tiens, elle est là, elle ?

– *Elle* ? avait rugi sa tante. C'est de moi que tu parles ? C'est comme ça que tu parles de ta propre sœur ?

Le père avait grogné, un magma de sons sans les mots.

– Hé ben ça s'arrange pas avec l'âge, avait repris la tante. Tu sais que t'as bien de la chance d'avoir une femme comme t'as, et une gentille gosse comme celle-là. Pas sûre que tu mérites, vraiment.

– Parce que la vie, c'est du mérite ? C'est ça que tu crois ? C'est ça que vous croyez, pauvres connes ?!

Le père avait posé un pack de bières sur la table. En avait vidé une d'une seule et longue gorgée. La mère avait tenté une annonce, ignorant l'insulte :

– Tu sais qu'il y a du nouveau pour ta sœur ? Elle va bientôt nous présenter quelqu'un...

– Ah ouais ? T'as trouvé un pauvre guignol qui veut bien que tu lui coupes les couilles ?

Le père avait ri de sa blague, bouche ouverte sur les couronnes métalliques, c'était encore plus fou dans ce costume – Alison n'en revenait pas. Le Père Noël n'existait pas, le doute n'était plus permis.

– Comment il s'appelle, le gugusse ?

La tante avait frémi d'énervement contenu, puis annoncé :

– Malik.

Dans la stupeur, le père avait recraché un peu de sa bière. C'était moche et pathétique, cette mousse qui coulait dans la fausse barbe, et l'œil fou du paternel. Presque théâtral, et surtout… tellement prévisible.

– Tu peux répéter, là ?

– T'as très bien compris mais je veux bien répéter, pour le plaisir – et pour te faire chier : Ma-lik.

La tante avait répété, encore et encore, cherchant la réaction :

– Ma-lik. T'as compris, là ? Non ? Malik, Malik, Malik. Ça rentre ?

La réaction était venue, brûlante de haine et de dépit :

– Un Mohamed ? Tu te tapes un *putain d'Arabe*, nom de Dieu ?!

– Exactement. Et va falloir que tu changes de vocabulaire parce que je suis pas sûre qu'il va apprécier que tu l'appelles comme ça, mon homme, quand tu vas le rencontrer.

Le père avait allongé un rictus de fausse hilarité, jouant la surprise :

– Parce que tu crois qu'il va rentrer dans ma maison ? Tu crois vraiment ça ? T'es encore plus conne que je pensais !

La mère avait tenté :

– S'il te plaît, on en reparlera plus tard. C'est Noël…

– Noël mon cul ! Ma sœur trahit sa famille et je dois rien dire ?

La suite, Alison s'en souvient dans un triste halo que le temps a modifié. Les cris, les menaces, la beigne que sa tante a failli prendre mais qu'elle a évitée en quittant la maison. La beigne que sa mère s'est prise, elle, à la place de sa tante. Le repas qui n'a pas eu lieu. Le *Père Noël* assis à la table du salon, vidant bière sur bière, injuriant tous ceux qui selon lui participaient, par leur simple existence, à faire de lui ce qu'il était : un perdant, un sans-grade, un chômeur, un impuissant.

Alison se souvient du petit paquet ouvert le lendemain, sans cris et sans joie ; celui que sa tante avait laissé pour elle dans l'entrée : le DVD de *Bambi*. Elle n'a plus jamais revu sa tante.

Alison traverse la gare, avance en choisissant les bouts du trottoir où la neige est encore vierge, pour entendre crisser ses semelles. Elle ralentit, perdue dans ses pensées, et puis s'arrête. Un moment suspendu, quelques secondes pour amorcer le virage en épingle et elle fait demi-tour, s'engouffre à nouveau dans le hall de gare, se précipite vers l'affichage électronique des départs. Un train la ramènera d'où elle vient, dans vingt minutes. Vingt minutes : c'est presque insoutenable, d'attendre aussi longtemps.

*

Un piège. Voilà, c'est un piège. Une embuscade organisée pour faire la peau à ses colères, à ses critiques des *petits-bourgeois intellectuels qui votent à gauche et vivent à droite*. La sœur de Marc est rayonnante, ventre offert aux yeux du monde, tendu-arrondi par un deuxième loupiot.

– Regarde, Marc, elle bouge ! Tu veux toucher ?

– Elle ?

– Oui ! Deuxième échographie hier matin : c'est une petite fille.

– Merveilleux. T'es contente ?

– Bien sûr… En même temps, tu sais, j'aurais été heureuse de toute façon, que ce soit un garçon ou une fille.

Évidemment. Forcément. Inévitablement. Et voilà : il est déjà saoulé par ce bonheur qui dégouline. Il ne peut pas comprendre qu'on soit aussi satisfait de sa propre vie, et du monde dans lequel on vit. C'est absurde. Infantile. Merde ! En plus, c'est sa *grande* sœur.

– Sers-toi, Marc, c'est très bon, tu sais ! Ulysse fait ça avec des produits frais, on a un super petit marché bio, pas loin de l'appart.

Sans blague…

– Toi, je sens que tu te nourris toujours aussi mal…

– Mal, non. Mais j'achète pas du radis noir à douze euros le kilo, c'est vrai.

– T'exagères !

– À peine.

Ulysse sourit, pacifique – mou, pense Marc.

– Laisse ton frangin tranquille, Léa. Offre-lui plutôt un verre. Un petit blanc, Marc ?

Nan, un gros rouge qui tache. Ou du whisky. Un truc fort, que le reste passe en douceur.

– Allez, je dis pas non.

Comment agresser sa sœur ? Comment s'énerver après une gonzesse si sympa, si jolie et pleine de vie ? Et comment s'énerver après son mec, alors qu'il regarde encore sa frangine avec des yeux de débile après dix ans de vie commune ? Bon sang, que cet excès de bonheur le gave. Il ne peut pas croire que ça tienne la route, dans un monde aussi dur, aussi terriblement injuste. Ils ont quoi ? Des œillères sur la tronche ?

Mais Marc connaît la réponse, au fond. Les œillères sont un peu au coin de leurs yeux, oui, mais surtout aux angles de leur quartier, de leur univers géographique et amical. Tous leurs amis leur ressemblent. Tous vont au marché bio et s'y retrouvent pour boire un café *équitable*, après avoir acheté leur pain aux graines et au petit épeautre. Ils portent du lin ou des tee-shirts vintage, les filles ont de grosses lunettes de soleil et des robes de créateurs – *Parce que tu sais, au moins c'est de la qualité.* Elles parlent d'art contemporain et de tourtes à la courge. Il y a plein de gosses, parce qu'ils ont de l'espoir et que l'avenir est à eux – comme les T5 du centre-ville. Les mecs s'occupent des gosses bien sûr, pour bien montrer qu'ils sont meilleurs que ne l'ont été leurs pères, et qu'ils sont cool et pas machos. Les gamins s'appellent César, Louise, Tibère, Merlin, Appoline ; ils vont à l'éveil musical le mercredi après-midi et réclament des biscuits au sésame à l'heure du goûter.

Quand il parle avec eux, Marc entend des riffs de punk lui dézinguer les tympans, qui recouvrent et étouffent ses envies de leur taper dessus. Ses envies de leur passer des films de la *vraie vie*, de force, juste pour faire tomber leurs sourires de suffisance joyeuse.

N'empêche qu'il aime sa sœur. Alors il sourit à Ulysse et s'extasie :

– Ah ouais, il est bon, ce blanc ! Tu l'as trouvé chez *ton* caviste, là ?

*

– Jeanne, je vais te raconter quelque chose que tu vas vraiment garder pour toi, d'accord ?

– D'accord.

– Et tu vas essayer de pas me juger. Toujours d'accord ?

– Toujours d'accord.

Tonio soupire :

– Putain, Jeanne... tu vas pas aimer ça. Je suis sûr que tu vas vraiment pas aimer.

– T'es pas obligé de me dire, si t'as pas envie.

– C'est pas ça, c'est juste...

Tonio cherche à gagner du temps, un angle d'attaque, une façon de raconter. Il fouille le regard de Jeanne pour trouver une raison de se taire, mais n'y décèle que curiosité et douceur. Alors il se lance.

– J'ai un gosse, en fait.

Jeanne écarquille les yeux.

– Un... Il est où ?

– Je sais pas. Je sais pas où il est, et je m'en occupe pas.

– Mais... quel âge il a, ton fils ?

– Presque vingt ans. La dernière fois que je l'ai vu, il en avait quinze. Il a fait la gueule, j'ai pas insisté. Aux dernières nouvelles, sa mère et lui ont déménagé dans un bled, à plus de six heures d'ici.

Jeanne se tait, roule une clope lentement, avec application.

– Tu dis rien ?

– Je sais pas quoi dire, Tonio. J'ai envie de te poser plein de questions, mais c'est pas facile.

– Vas-y, envoie.

– D'accord... pourquoi ?

– Pourquoi j'ai fait un môme ou pourquoi je m'en occupe pas ?

– Les deux.

– Bon, le môme, je l'ai fait sans faire exprès... Enfin, tu vois, quoi. Et je m'en suis jamais occupé parce que j'avais pas envie, j'étais pas prêt, j'avais la vie devant moi et j'ai trouvé parfaitement logique que mon ex assume nos conneries toute seule, à l'époque.

Jeanne allume sa clope, lâche un nuage opaque entre eux. Tonio sourit d'un seul côté.

– T'es déçue ?

Elle hausse les épaules, ne sait pas trop quoi penser.

– En fait je m'en fous, Jeanne, que tu sois déçue. On fait pas que des choses belles et nobles, dans une vie.

– Je sais, mais…

– Mais quoi ? Tu pourras jamais être aussi déçu que moi.

– T'as jamais essayé de…

– De quoi ? Réparer ? Reprendre le contact ? *Assumer* ? Non. Si, vaguement, à un moment. Et puis j'ai pas su. C'est comme ça, c'est la vie.

Il se ressert à boire. Accélère la cadence du plein-vide – une habitude.

– C'est marrant : Basile qu'a pas de père et toi qui…

– Ah non, hein ! Pas de psycho à deux balle, s'il te plaît. Justement, ça n'a rien à voir. Basile, c'est mon pote. Et je suis son pote, pas son père.

– T'as raison, c'est con.

Elle lève son verre encore à demi plein et trinque doucement avec Tonio.

– Aux potes, lance Tonio.

– Aux potes ! Jeanne répond, en écho.

Et puis le carillon de la porte d'entrée brise le moment. Jeanne se lève, étonnée, pour aller ouvrir.

*

Madame Ravenne avait toujours des traces de rouge à lèvres sur les dents. Cette incapacité à se maquiller correctement n'enlevait rien à son pouvoir de règne par la terreur. Lucie plonge son regard dans le grand piano laqué et se souvient : ses doigts écrasés contre l'ivoire des touches, les dents de Madame Ravenne en ligne de mire, comme celles d'un grand fauve prêt à tuer. Elle n'aimait pas les cours de piano. Tant d'autres choses encore qu'elle détestait, mais qu'elle s'imposait parce que la place de l'emmerdeur était déjà prise, que deux ça aurait été trop.

C'est quand Nicolas allume un énorme joint sous le nez de son père que Jules ferme les yeux en soupirant. Il regarde Lucie, qui regarde son frère, qui regarde son père, qui regarde sa femme, l'air de dire : *Mais comment veux-tu que je reste calme ?*

Et c'est à ce moment-là que Lucie se lève, très calmement, et récupère sa veste. Elle n'embrasse personne mais sourit à chacun. Elle prend la main de Jules.

Elle les contemple, un par un, sans animosité. Son père, engoncé de certitudes, les traits flasques d'inquiétudes et de travail, encore déformés par la rage d'être défié par son fils. Sa mère, éclatante de beauté blonde et inutile, sourire figé dans une expression de surprise candide, se caresse la joue, tête légèrement penchée – un petit geste d'angoisse que Lucie connaît bien. Et Nicolas, le visage à moitié caché par la fumée opaque, l'œil moqueur ; un peu inquiet, peut-être, de deviner que les décisions de sa sœur sont en train de prendre plus de poids que ses provocations à lui.

— Joyeux Noël, elle souffle doucement.

Et elle entraîne Jules vers la sortie, tournant le dos à sa famille.

*

— Tu dis rien, Basile ?

— Mais si, mais je mange, là !

— Comme si ça t'avait déjà empêché de parler… T'es tout bizarre.

– Comment ça, *tout bizarre* ?

La mère de Basile rit avant d'avaler sa dernière huître.

– Bon, mon chéri, après tes huîtres, tu dégages.

– Quoi ??!

– T'es ailleurs, Basile. Avec ton amoureuse, sans doute. Alors tant qu'à faire, va la retrouver en vrai, non ? Parce que manger en tête à tête avec mon fils, j'adore, mais vu que tu m'en parles même pas… et que tu parles de rien d'autre…

– Maman !

– Elle est jolie ? T'es bien avec ?

– Oui. Elle est… On est…

Basile en oublie de manger ses huîtres. Son regard se perd, son sourire s'étale.

– Je vois.

– Et toi ?

– Quoi, moi ?

– Maintenant que je traîne plus ici, et que t'as moins de boulot…

– Ça te regarde pas, mon chéri. Mange tes huîtres tant qu'elles sont vivantes.

Un petit sourire en coin : le souvenir de l'horrible découverte. Basile avait une dizaine d'années quand elle lui a montré que le citron les faisait réagir, s'agiter dans leurs coquilles.

Il en gobe une dernière, sans état d'âme. Et attaque une tartine de pain beurrée de la taille d'un avant-bras. Le plus gros de ce qu'il sait, c'est cette femme qui le lui a appris. Et elle continue.

– Passe pas à côté des choses importantes, Basile. Je sais que t'es un rêveur, que t'as du mal à te poser. Mais je t'ai rarement vu l'air aussi radieux, alors je plaisante pas : retourne là-bas, t'as fait ton quota de bon fils.

– Tu déconnes !

– J'ai l'air ?

Elle l'enveloppe dans le coton de son sourire. Se lève pour lancer sur l'ordi une *morna* à pleurer, un de ces chants capverdiens qu'elle affectionne depuis toujours. Basile n'a jamais su pourquoi. Un ancien amant, ou un voyage qu'elle ne veut pas lui raconter ? Il la revoit, les dimanches après-midi de l'enfance, en chaussettes dans le canapé, Cesaria Evora emplissant tout l'espace. Souvent, elle ne faisait rien d'autre qu'écouter, les yeux fermés, pendant la cuisson d'un gâteau.

Le dimanche : seul et unique jour de vrai congé. Alors elle découpait sa journée entre lui et elle, elle et lui, eux deux ensemble et sa ration de survie en solitaire. Pas de place pour un amant, un amoureux, un qui se serait intéressé, aurait eu envie de ranger ses caleçons dans le tiroir de la chambre, faire revenir des échalotes dans la cuisine, lui servir un verre de vin, s'extasier sur l'intelligence de son grand fils, lui faire écouter des musiques comme on ouvre un univers. Pas la place. Basile aimerait bien, maintenant qu'il a filé, qu'un bonhomme la trouve jolie, sa mère, la fasse danser, lui tienne la main dans les manifs contre l'austérité et la privatisation. Il a encore un peu honte de ces années où le lycée, la musique et ses potes ont réduit sa mère à de simples fonctions : remplir le frigo, justifier ses absences, laver son linge. Oui, il a honte encore, il a besoin de se rattraper pour effacer la dette. Alors qu'il n'y a pas de dette.

– Avant de filer, dis-moi comment va Marc, tiens !

– Bien, super bien.

– Il fait quoi ? Toujours des petits boulots ?

– Des déménagements, oui. Et il écrit toujours. Très... très en colère.

– Il a raison. Vous avez raison. La vie qu'on vous offre, c'est... Vous avez raison de vouloir autre chose.

– Et toi ? La Poste ?

Elle secoue la tête, ses rides plus prononcées autour des lèvres, petits plis d'amertume, de fatigue. Elle est syndiquée depuis toujours. Ces dernières années, elle a vécu la vague de suicides qui a suivi la privatisation. Elle n'est pas indemne. Les réunions syndicales ont longtemps servi de soupape, pour ne pas craquer.

– On a fait grève, comme tout le monde, mais... tu connais la suite : rien. Sauf des retenues sur salaire. Mon dernier bulletin de paie ressemble à celui d'une baby-sitter intérimaire.

Elle sourit à Basile.

– Hé, c'est Noël, on va pas parler du boulot. T'inquiète pas, je gère.

Sûr, qu'elle gère. Comme elle l'a toujours fait. Basile est heureux d'être enfin foutu de s'en rendre compte. Il bénit les années, la vie et les coups de pied au cul que sa mère lui a mis. Il aimerait que Jeanne rencontre sa mère, et que sa mère rencontre Jeanne. Il ne sait pas si elles s'aimeront, mais il voudrait mettre tous ses amours dans le même panier.

– J'y vais, alors... T'es sûre ?

– Mais oui. Va la retrouver, ton amoureuse qui boycotte Noël.

Basile se tortille soudain comme un gamin.

– À propos de boycotter Noël...

– T'as pas de cadeau pour ta vieille mère, c'est ça ?

– Ben non.

– C'est toi mon cadeau, grand couillon.

– Tu parles !

– Allez, file. Mon cadeau à moi, je l'ai posé sur ton livret A. Vu la période, c'est pas la fortune, mais tu pourras t'offrir un truc. Je sais plus vraiment de quoi tu as besoin...

Marc attend sur le trottoir. Il se penche dans le froid, fait craquer son cou, rouler ses épaules, histoire de se réchauffer. Quand le mini-bus de Tonio freine à sa hauteur, Basile au volant, Marc s'élance et grimpe à la place du mort, hargneux comme un pit-bull.

– Putain, c'est pas trop tôt. Merci. Franchement : merci.

– C'était si dur que ça ?

– Pire.

– Mais elle est chouette, ta sœur !

– Justement, c'est ça qui me rend dingue. Je peux même pas m'engueuler tranquillement avec elle. Elle est tellement adorable que c'est impossible.

– Mais pourquoi tu voudrais le faire ?

Marc soupire. Allume une clope et baisse la vitre à la manivelle.

– Ils me rendent fou, avec leur vie parfaite, leur satisfaction de petits-bourgeois.

– Tu crois qu'on est vraiment différents ?

– Hein ?! T'es dingue ! Évidemment qu'on est différents. Tu sais combien il gagne, le mec de ma sœur ?

– Nan ! Je veux surtout pas savoir !

– Ah, tu vois…

– Mais tu peux pas lui en vouloir juste parce qu'elle a du fric.

– Si, je peux. Bien sûr que je peux. Ma sœur et ses potes, ils voient rien autour d'eux. Rien. La crise, ils savent même pas ce que c'est. Ils font semblant d'être concernés pour avoir bonne conscience. Ils me dégoûtent. Ils se croient généreux et traînent un air négligé de pas friqués, mais ils gagnent presque tous un pognon monstrueux dans des boîtes qui font semblant d'avoir de l'éthique.

Basile sent que son pote est lancé. Il s'engage dans les rues du centre-ville en espérant trouver une place gratuite pour poser le tas de ferraille. Il pense à la sœur de Marc, douce et rigolote… mais friquée, oui.

– Tu sais ce qu'il sont, Basile ? Tu le sais ? Ils sont une putain d'élite qui fait semblant de ne pas être ce qu'elle est. C'est des dominants, c'est tout. Des dominants aveugles ! Ah, c'est sûr, ça les fait flipper quand des connards d'extrémistes butent des dessinateurs, mais une semaine après ils sont déjà passés à autre chose. Que les fachos gagnent les prochaines élections, ça aussi ça leur fait peur… alors que ça fait des années qu'ils sont passés ! Des années qu'on subit une politique raciste et obscurantiste, bordel !

– Elle accepte ça, ta frangine, t'es sûr ?

– Ils acceptent *tous* ce système dégueulasse, parce que « *Faut bien s'adapter au monde et à la croissance* ». Ah bon ? Mais je crache sur leur petit monde pourri, sur cette malhonnêteté. Ils sont pires que ceux qui bouffent chez Mac Do et zonent au centre commercial. Parce que ceux-là, au moins, ils vivent dans le monde *réel*. Et ils ont pas forcément la donne en main. Ma sœur… Ma sœur je l'aime, mais elle vit dans une bulle de bourgeoisie branchée de merde. Un bloc de mauvaise foi. Ils ne voient pas la crise, parce qu'ils ne la vivent pas ! Mais ils se sentent super engagés parce qu'ils portent du coton bio. Qu'ils aillent se faire foutre !

Des gars bourrés, sur le trottoir, chantent sous une couverture commune. Apparition parfaite, presque un cadeau, pour la diatribe de Marc, qui soupire.

– T'imagines l'écart ? Tu vois comment ça se creuse ? On revient au dix-neuvième, je te jure.

– Ils jouent pas en bourse, non plus… Tu sais, moi, ça me dérangerait pas de gagner autant de pognon que ton beau-frère.

– Mais t'en ferais autre chose… Tu *partagerais* ! T'aurais toujours *conscience* qu'on va dans le mur, non ?

– Si. Je pense.

Basile est d'accord. Amasser du fric ne l'intéresse pas. Être propriétaire, pas plus. Les fringues, les choses neuves et les iPhones, il s'en tape. En ce sens, la vie qu'ils inventent lui convient. Mais un peu plus de pognon pour offrir des vacances à sa mère… La voir vivre dans un quartier plus sympa. Emmener Jeanne en voyage…

– Ils ont les *moyens* de voir, et ils *refusent* de voir, insiste Marc.

– Des nouvelles de tes parents ?

Pour le coup, Marc grogne carrément, une plainte épuisée, désespérée.

– Ah non, hein. Pas mes parents…

Basile se marre, et c'est contagieux. Marc rit aussi, se détend un peu, agite la main vers le trottoir.

– Là ! T'as une place ! Gare-toi, qu'on retrouve les copains et que j'oublie que j'ai planté ma petite nièce chérie à l'ouverture des cadeaux.

– T'as fait ça ?

– Et toi ? T'as pas planté ta mère après les huîtres ?

– Si, mais…

– Moi au moins, j'avais un cadeau !

Basile manœuvre pour enquiller le camion entre le mur et les poubelles. Il se tord le cou pour ne pas défoncer l'arrière du véhicule.

– C'était quoi, ton cadeau ?

– Un petit poney… Rigole pas, je lui ai refait une identité : j'ai repassé des étoiles noires au marqueur sur son cul, au canasson ! Un petit poney Guevara, ça claque, non ?

*

Quand Jules et Lucie sonnent à la porte du squat, un éclat de rire collectif et tonitruant les cueille, les enveloppe, les ravit.

Dans le chaos du salon, affalés dans les fauteuils et les canapés, bras levés et armés de verres pleins : ils sont tous là.

– Vous êtes les derniers ! C'est vous qui avez tenu le plus longtemps ! s'écrie Tonio en leur servant deux verres. Ali est arrivée en premier, et puis les deux autres ont débarqué en même temps… et vous, maintenant !

– J'ai fait l'aller-retour…, avoue Alison, rayonnante.

– Moi j'ai craqué au dessert, lâche Marc.

Basile ne dit rien mais s'écroule contre Jeanne. Il serre sa main dans le creux du fauteuil, ses doigts chauds – ça lui remonte le long du bras, l'épaule, le cou, jusqu'aux zygomatiques coincées en mode éclat de joie.

Bien sûr qu'à l'intérieur ça grince pas mal, pour chacun d'eux. Bien sûr qu'il y a – au fond de leurs ventres et derrière leurs sourires – des nœuds subtils et des rancœurs.

Mais ils sont tout de même heureux, ce soir. Heureux comme des gosses qui auraient enfin ouvert le paquet emballé pour eux au pied du sapin, et y auraient trouvé *exactement* le cadeau dont ils rêvaient.

ICI OU AILLEURS

Un matin glacé de janvier, la porte d'entrée est secouée par des coups. Le creux extérieur d'un poing s'écrase violemment sur le bois :

– Police ! Ouvrez !

C'est Marc qui déclenche le premier. Les autres se figent, café en main. Marc s'approche de la porte d'entrée mais ne l'ouvre pas. Il a un peu mal au bide, d'un coup. Les muscles tendus, collé à la porte, il crie à travers le bois :

– C'est pour quoi ?

– Vous occupez ce lieu de façon illégale ! Il faut partir !

Marc vide ses poumons dans un long souffle inquiet et serre les dents. Il fallait bien que ça arrive un jour. Ils s'en sont plutôt bien tirés jusqu'à maintenant.

– On est chez nous, *Monsieur*.

– Vous pouvez le prouver ?

S'ils discutent, c'est qu'ils n'entreront pas de force. Marc sent le soulagement dans son ventre : pas prêt pour une visite policière de si bon matin. Il peut bien faire le coriace, aimer la baston en fin de manif et les règlements de comptes avec les fafs… se faire cueillir au petit dej' par les condés, c'est autre chose. Il se souvient d'une descente, dans l'ancien squat. Les flics cherchaient de la came et n'avaient rien trouvé, mais l'attente, en caleçon, fragiles et risibles… il avait vraiment pas aimé ça.

– Facture d'électricité, *Monsieur*.

Les flics rigolent un peu, à cause du *Monsieur*. L'un dit aux autres : *Il nous prend pour des cons…*

– Le propriétaire va porter plainte ! lance l'un d'eux.

Pas trop agressif, juste un constat, presque une fatigue. Marc se détend d'un coup, en entendant ça.

– Lancez la procédure d'expulsion. On fera appel… On n'est pas seuls, vous savez. On a un avocat !

De la cuisine, Jeanne écoute, étonnée par la répartie calme de Marc. Un avocat ? Ah bon ?

– Faudra pas compter sur mon père…, marmonne Lucie en posant sa tasse de café dans l'évier.

– On a des contacts, la rassure Tonio. Mais ça va être chaud quand même. Si on s'agite pas trop, si on fait durer le truc, on peut tirer au maximum… On devrait pouvoir tenir encore quelques mois.

Les flics semblent hésiter, ils se consultent.

Ils ne sont pas venus en force, plutôt pour vérifier une information.

– Vous croyez qu'un voisin nous a balancés ? demande Jeanne.

– C'est possible, oui.

– Alors il va se passer quoi, maintenant ?

– Si on était des Roms, explique Tonio, ils seraient arrivés plus tôt, plus nombreux, et on serait déjà à la rue. Là… ça va prendre plus de temps.

Lucie soupire d'indignation.

– C'est dégueulasse.

– On va pas s'en plaindre… même si c'est dégueulasse. Les proprios vont porter plainte, donc soit ils se sont rendu compte tout seuls qu'on squattait la baraque, soit un voisin les a prévenus. On va être convoqués pour un procès, tout simplement.

– Tout simplement…, ironise Jeanne.

– C'est mieux que de se faire traîner hors des murs à coups de matraque, non ?

– Sûr.

Basile débarque dans la cuisine à ce moment-là, débraillé, la marque de l'oreiller encore collée à la joue. Jeanne s'en émeut et se reprend vite, efface le sourire qui la gagne. Merde, ils risquent de perdre leur chez-eux. Cet îlot magique qui en quelques mois est devenu le plus précieux des abris.

– Une petite visite de courtoisie ? s'amuse Basile en regardant, au bout du couloir, Marc collé à la porte, en pourparlers avec les flics.

– Ils s'en vont, annonce Marc en revenant vers la cuisine. On va faire un dossier bien costaud, histoire de gagner du temps. Je contacte l'avocat.

– Ça y est, alors ? On est repérés ? demande Basile, flegmatique, en se servant un café.

Les mines sombres de la troupe lui répondent.

Jules ouvre la porte qui donne sur le jardin, va déblayer les restes de neige en silence, espérant avoir le temps de cueillir le fruit de ses efforts avant d'être viré comme un parasite.

Tonio pose les yeux sur l'inévitable tableau : la Baronne semble savourer une victoire, raide et méprisante, la collerette plus blanche que jamais.

– Faites pas cette tête ! lâche Basile. Si on se fait virer d'ici, on ira ailleurs.

Et il se penche pour embrasser Jeanne, dans le creux du cou, avec son nez qui lui chatouille l'oreille, sa voix éraillée du matin qui lui chatouille le cœur.

Marc a le front barré d'une ride soucieuse. Il a croisé ses bras – mains ouvertes sous ses aisselles, pouces sortis – et s'approche de Basile.

– Tu planes toujours, hein ?

– Quoi ?

– Tu prends rien au sérieux. C'est chiant, merde !

Basile passe une main dans ses cheveux en vrac, se gratte le crâne.

– Oh là ! Grosse attaque, de bon matin ?

– Non mais sérieux, on dirait une espèce de… je sais pas, moi, un nomade urbain, genre *« Je déménage, attends chéri, je prends mon duvet et on s'installe ailleurs »*…

– Ben oui. Et alors ? C'est le principe, non ? Enfin… l'idée.

– Je sais pas ! Moi j'ai envie de me battre. Faire valoir le droit à occuper un logement vide de gens riches qu'en ont rien à foutre que d'autres vivent dans la rue !

– Mais évidemment. Je suis d'accord. N'empêche que la technique *« Virez-moi et je me réinstalle ailleurs »*, c'est une bonne façon de se battre, aussi…

Marc secoue la tête, sourire en berne. Basile écarte les bras, fautif et amusé.

– Attends ! Je vais me battre, moi aussi, t'inquiète. Tu veux quoi ? Qu'on attaque la préfecture ? D'accord, j'y vais !

– T'es con !

– Nan, je te jure, j'y vais !

Marc s'affale sur une chaise, se sert un café.

– Le pire, c'est que t'en es capable…

– Fort Alamo ! braille Basile en lui donnant des coups, réveillé soudain par l'excitation du débat.

– Moi, je suis d'accord avec Basile, avance Jules.

Il touille son café, le nez au-dessus de la tasse.

– C'est-à-dire ?

– Je préfère l'idée de recréer des îlots de résistance un peu partout, les avoir à l'usure. Plutôt que de perdre mon temps et mon énergie à affronter ceux qui, de toute façon, sont plus forts que nous.

Tonio rallonge son café d'une lichette de grand Marnier – une bouteille oubliée à la dernière fête.

– Moi, j'aime bien quand ça pète. Le chaos, le joyeux bordel, les émeutes. J'aime qu'ils aient peur.

Rictus carnassier, rire amer. Il lui faut toujours quelques heures et un peu d'alcool pour revenir parmi les vivants.

– D'accord Tonio, coupe Jeanne, on connaît la chanson : renverser le système, détruire pour reconstruire après, table rase et tout... d'ici là, on peut essayer de vivre bien, non ?

– Les yeux fermés ? insiste Marc.

– Non ! Putain, si tu peux pas changer le monde, tu peux toujours essayer d'en construire un à ta mesure, même petit. Regarde, ici ! C'est pas mal, ce qu'on fait, non ?

Marc secoue la tête.

– Oui... et non. On fonctionne bien à sept. Mais... c'est pas la révolution, quoi.

– Ben vas-y, tu peux retourner patauger dans les bois à Notre-Dame-des-Landes, si tu veux ! propose Basile, un brin moqueur.

– T'as été là-bas ? Demande Lucie.

– Oui, plusieurs semaines. Mais je suis comme Tonio, moi. J'ai besoin du bitume. Ça me lourde, la bouillasse en forêt. Enfin, eux, au moins, ils se battent.

– Raconte.

– De la boue, de la forêt, des CRS, des militants. Un aéroport qui ne se construit pas. Ils tiennent bon, ils lâchent rien.

Jules a l'air intéressé. Le tableau lui semble prometteur. Et puis il se souvient :

– On va bien au Contre-Sommet, en mai ?

Les autres acquiescent. Marc ajoute :

– Ouais, ça va être une belle occasion de rencontrer des copains, et tu verras : ça débarquera de tous les pays. Si ça te branche de savoir comment ils s'organisent ailleurs, en ville ou en rural…

Jeanne râle devant un conglomérat de vaisselle sale, dans l'évier. Elle le coupe sans douceur :

– Hé, y en a marre, là, ça commence à devenir dégueu ici. Faut que tout le monde se sente concerné et se bouge le cul aussi, si on veut que ça ait du sens ! Ça suffit pas les grands mots, les grandes idées…

Basile et Marc soupirent exactement au même moment. Ce qui rend Jeanne encore plus furax.

– Si je me souviens bien, c'est toi, Marc, qui expliques si bien que *le privé est politique* ? Et toi, Basile, combien de fois je t'ai entendu dire que *la révolution commence par soi-même* ? Vous en avez rien à foutre, qu'on vive dans une porcherie ?

Basile la regarde s'énerver et les singer au-dessus de l'évier : elle est belle, dans sa colère. Il sourit un peu bêtement, note qu'elle ne porte pas de soutien-gorge sous son tee-shirt des Wampas.

– Une porcherie… T'exagères !

– Ah bon ?

Jeanne extirpe du fond de l'évier une poignée de mégots trempés, mélangés à des bouts de nourriture. Elle hésite à les déposer sur la table dans un beau geste théâtral, mais se retient. Lucie enchaîne :

– Moi, je suis d'accord avec Jeanne. Et la salle de bains, c'est pire.

Marc et Tonio grognent. Alison trace des rainures dans la table avec ses ongles en tordant la bouche, l'air coupable.

Basile, face au nombre, évite de prendre parti, prudent. Mais Jules se lève et pousse doucement Jeanne, se met à faire la vaisselle. Il récolte deux sourires de gratitude solidaire.

SERVICE

Le patron regarde Lucie, du haut jusqu'en bas ; son regard la traverse comme si elle n'existait pas.

– Tu sais faire un sandwich ou c'est au-dessus de tes capacités ?

– Je suis désolée, c'est juste que…

– Juste que quoi ? Beurre-jambon-fromage, y a un truc que t'as pas compris ?

– Si, mais j'avais pas entendu et…

– Si le client te demande un jambon-beurre-fromage, c'est pas du thon et des tomates. C'est quand même pas compliqué.

Le client intervient :

– Non mais c'est pas grave, vous savez…

– Tenez, Monsieur. Puis, plus bas et à Lucie, alors que le client s'en va : C'est moi qui décide si c'est grave ou pas. Toi, si tu veux que je te garde, va falloir te bouger le cul, t'as compris ?

Lucie se renfrogne ; elle a mal aux pieds à force de courir, elle se bouge le cul, ça c'est sûr. Mais peut-être qu'elle le tortille pas assez. D'ailleurs, le patron en remet une couche :

– Et t'es obligée de porter tes trucs de hippie, là ? Ce machin qui ressemble à rien ? On dirait une serpillière !

Il tire sur les franges de son foulard, affligé.

– Allez ma chérie, au boulot, et la prochaine fois tu mets un petit top, une jupe, un truc qui donne envie au client.

– Oui, enfin je suis serveuse, pas entraîneuse, non plus.

Elle ne dit rien sur le *chérie* qui lui écorche les oreilles. Ni sur le *ma*, encore pire. Le mec de la plonge lui sourit gentiment, allonge une grimace complice. Ça lui fait du bien. Le patron secoue la tête.

– Sûr que comme entraîneuse, tu ramènerais pas un radis.

Bêtement, ça la blesse. Et elle se demande si finalement, les cours de Droit, c'était vraiment pire que ça.

Lucie serre les dents, incline le verre sous le tuyau qui mousse, stoppe le jet d'un geste machinal du poignet, pose la sixième pression sur le comptoir, muette. Elle est encore douce, Lucie, douce et docile. Elle aimerait dire au patron qu'elle vaut mieux que lui, oui. Qu'elle pense mieux, et surtout plus souvent. Mais elle se tait, comme elle a appris à le faire. Et puis aussi : elle a honte de penser qu'elle vaut mieux, ce n'est pas *bien*, ce n'est pas très *révolutionnaire*, de se croire supérieure parce qu'elle a fait un an d'études. Elle racle la mousse qui déborde du verre. Ose, d'une voix de petite fille :

– Il faut changer le fût.

Et comme il se réjouit de pouvoir porter vingt-cinq kilos sur son épaule alors qu'elle s'effondrerait à moins, il descend volontiers chercher un nouveau fût. Quelques minutes de tranquillité gagnées sur l'ennemi : un cadeau.

Quatre heures plus tard, les chaises sont retournées sur les tables, le sol récuré ; le comptoir brille de ses coups de chiffon. Les derniers clients sont partis, et le patron compte devant elle son salaire du jour, en liquide. Il lui tend quelques billets, qu'elle recompte malgré son orgueil.

– C'est tout ?

– Y avait pas tant de monde, ce soir.

– Mais je croyais qu'on avait dit…

– Arrête de croire et dis-toi que t'as de la chance.

– Mais…

– Si ça te va pas, tu peux partir. Y en aura dix qui attendent pour te remplacer. C'est la crise, tu découvres ?

Lucie quitte le bar comme on s'enfuit, sans oublier de lâcher un *À demain* rageur, pour ne pas risquer d'être remplacée par un des dix qui attendent.

LA CABANE

Les vitres de la cuisine coulent de buée. Huit kilos de spaghettis chauffent dans quatre casseroles, ajoutant encore un peu plus de chaleur dans la pièce.

Des copains, une dizaine, prolongent l'apéro en d'interminables débats, entre la cuisine et le salon.

Jeanne rentre de la fac un peu vaseuse, et voir tout ce monde l'effraie, l'énerve. Elle n'a pas envie de parler, elle rêve de calme, un calme que le squat offre rarement à partir de dix-neuf heures. Du monde, si souvent, même de passage, des gens hébergés parce qu'ils en ont besoin, ou parce qu'ils dorment sur place après une fête.

Elle salue vaguement, d'un geste large, et cherche Basile des yeux, le trouve brassant du vent avec ses bras, expliquant à Jules et Fadhia, une fille au sourire ravageur, que les classes sociales n'ont pas disparu ; il parle de démocratie participative, d'hémicycle populaire. Il dit *La parole ne se donne pas, elle se prend*. Il dit *On ne peut pas se laisser manipuler par le discours des impérialistes*. Il dit *La mondialisation est une mise en condition pour permettre une plus grande exploitation des peuples...* Et Fadhia sourit, sourit tellement fort que ses dents prennent toute la place et qu'on pourrait presque croire qu'elle va le manger, ce beau parleur.

Jeanne observe la façon dont il pousse la diatribe jusqu'à l'*art*. On dirait qu'il s'amuse. Il a compris les codes, la gymnastique verbale pour clouer l'interlocuteur, le faire taire ou le relancer, avoir raison. Jeanne se demande si tout ça rime à quelque chose, s'il croit vraiment à ce qu'il raconte – comme Marc – ou si Basile est ici comme il pourrait être ailleurs. Flottant, planant, usant ici de ses charmes et de son intelligence, par… jeu ? Elle le regarde s'agiter et ne sait pas si elle a peur de le perdre ou envie de s'enfuir. Ça remonte parfois, la morsure dans son ventre – la fissure en noir.

Volte-face et montée des escaliers, vive et discrète. Ne pas être vue, ne pas être emportée par la petite masse humaine et le trop-plein de mots. Elle grimpe vers sa chambre pour échapper aux autres, mettre la distance, ronger son frein et retrouver ses billes. Elle saisit un livre au fond de son sac, le reconnaît au toucher, aux aspérités familières de la tranche, à la douceur du grain. *On achève bien les chevaux*. Édition de poche, photo de couverture plutôt moche, éloignée du propos. Mais dont les mots la bouleversent depuis qu'elle l'a commencé. Elle appuie le livre contre son ventre en montant les marches ; une béquille, un morceau en plus qui lui donne de la force.

Jeanne est fatiguée.

Basile la rattrape en haut des escaliers.

– Hé ! Pourquoi tu files ? Viens avec nous !

Elle ne se retourne pas.

– Trop de monde. J'ai besoin de calme, là.

– Tu me fais la gueule ?

Alors, parce qu'elle ne sait pas faire autrement, les mots sortent en bataille :

– Tu t'en fous des autres. Il a raison, Marc. Tu fais que planer, te marrer, prendre les choses à la légère. Tu peux faire plein de beaux discours sur l'impérialisme et

188

la barbarie du système, mais au fond rien n'est sérieux, hein ? Pour voir les gens qui t'entourent, pour t'intéresser vraiment à eux…

Basile se fige, pas préparé au combat, le visage défait par l'attaque.

– C'est à cause de Fahdia ?

– Fahdia ? Qu'est-ce qu'elle vient faire là-dedans ? Tu crois que je fais la gueule parce que tu parles avec une meuf ? T'es con ou quoi ? C'est comme ça que tu me vois ? C'est ça l'image que t'as de moi ?!

– Mais non mais…

– Mais non mais *quoi* ?

– Je comprends pas pourquoi t'es en colère…

– Si c'est ça que tu penses, c'est que tu me connais pas. En même temps tu t'intéresses pas vraiment, alors forcément…

– T'exagères, Jeanne. Je m'intéresse à toi !

– Ah oui ? Tu sais quoi de moi ?

– Comment ça ?

– Tu sais quoi, de moi ? Tu t'es déjà demandé ce que je fais quand on n'est pas ensemble ? Ce que je ressens ? Ce que je *suis* ?

Basile ferme les yeux sous le flot de questions.

– Je m'intéresse vachement à toi. Je passe les trois quarts de ma vie avec toi !

– T'attends quoi, alors ? Que j'étale mon cœur sur la table ? Que je te déshabille ? Que je *me* déshabille ?

Là, une esquisse de sourire, l'amorce d'un fou rire les rattrape – une complicité née du plaisir et des nuits sans fausse note. Elle se reprend pourtant et chuchote, en colère :

– Et là, t'attends quoi pour me prendre dans tes bras ? Tu vois pas que j'en ai besoin, là, maintenant ? Et que je me sens ridicule, du coup ?!

Il monte les deux dernière marches, l'enlace avec force.

Il est soulagé que la solution soit si simple, heureux de trouver une issue si douce au conflit grondant. Elle est déçue qu'il n'ait pas compris tout seul, triste d'avoir eu besoin de demander.

Il l'entraîne vers sa chambre à elle, se vautre sur son lit en la faisant tomber près de lui. Le regard un peu perdu, il soupire et puis se lance :

– Tu sais Jeanne, je sais plein de choses sur toi.

– Tu parles.

Il effleure sa hanche du bout de la main, descend dans le creux après.

– Quand t'es vexée, tu serres les dents et ça creuse tes joues.

Il cherche son regard, attrape son menton pour tirer son visage bien en face du sien.

– Je sais que t'es une amie exceptionnelle. Que tu sais garder un secret. Que tu tiens bien l'alcool. Que tu aimes le rhum autant que la vodka mais plus que la tequila, et que tu bois le whisky vieux et sec comme une bourgeoise. Dans des verres exprès pour, bien lourds au fond. Alors ? Tu vois comme je suis attentif ?

– Incroyable.

– Je connais ta grimace quand on cite un auteur ou un événement que tu connais pas – regard un peu fixe – ouais, comme ça ! – sourcil froncé, et t'attrapes ta lèvre avec deux doigts et tu tires dessus, comme si t'essayais de te rappeler. Cette grimace, je peux la voir en boucle juste en fermant les yeux.

Il enchaîne, parce que c'est pas si évident, ce truc avec les émotions, et puis il faut faire gaffe à pas être vexant ; il sent bien que le terrain est miné.

– Je sais que tu fais sécher des feuilles dans tes bouquins pour en faire des marque-pages, mais finalement tu t'en sers jamais ; tu cornes les coins.

– Pas mal…

Il caresse du pouce la cicatrice sur sa joue.

– Je sais que tu t'es fait ça contre la branche d'un arbre, quand t'avais dix ans. Et que tu inventes une nouvelle histoire à chaque fois qu'on te pose la question.

– Mmmmh.

– Je sais que ta confiture préférée c'est celle à la mûre – avec des morceaux. Et que tu adores faire la vaisselle…

Les bras de Jeanne partent en geyser vers sa figure mais il a anticipé, saisissant ses poignets au vol, hilare.

– Que tu as un sale caractère, que t'es carrément susceptible…

Elle se débat, tente une bagarre, heureuse de rencontrer une résistance.

– N'importe quoi !

– Je sais que t'aimes les livres presque autant que les gens…

– Ta gueule, maintenant ! T'es lourd !

– … et que tu détestes cette idée-là.

– Bon, ça va, arrête.

– Je sais que…

– T'es chiant !

– … tes seins ont…

– Arrête !

– … un goût d'amande !

– Tu sais pas t'arrêter ?!

Elle roule sur le côté, le saisit aux épaules pour l'attirer vers elle : l'embrasser pour qu'il se taise. Lutter pour le plaisir d'être contrée, tenue ; lutter pour perdre et jouir de la défaite. Sauf que c'est lui qui bascule et se laisse battre, bras écartés, les mains de Jeanne sur ses poignets. Il aime ça : le poids du corps de Jeanne. Ça l'empêche de dériver, l'ancre dans une réalité qui l'enchante. Parfois, quand elle s'endort sur lui, il se réveille suant, brûlant – un peau-à-peau étrange, qui cesse comme une déchirure.

Il veut parler, encore. Se rend compte que c'est agréable, de dire, et peut-être pas si dangereux finalement. Alors il reprend, très inspiré :

– J'ai développé une théorie sur les filles, tu veux l'entendre ?

Jeanne redresse son buste, toujours assise sur Basile. Elle grimace en fronçant les sourcils.

– Tu m'inquiètes un peu, là, mais vas-y…

– Une meuf, c'est comme une maison. Attends, écoute jusqu'au bout ! Y en a où tu te sens bien direct, c'est cosy et confort, avec des pièces au fond du couloir que t'as super envie de visiter. D'ailleurs parfois, c'est tellement confort que tu arrives plus à en partir même si tu te fais chier. Parce qu'il y a… genre plein de coussins et de la place pour toi.

– Je rêve…

– Écoute ! Je te jure que ça tient la route !

– Continue.

– Y en a d'autres où la déco est sympa mais tu sens qu'au-delà de l'apéro tu t'y sentiras jamais à l'aise.

– Mouais…

– Y en a où tu débarques à pas d'heure et tu penses que c'est la baraque de tes rêves, et au réveil tu te prends les pieds dans le tapis et t'as envie de sortir en courant au grand air, jamais plus remettre le nez ici.

– Je suis pas sûre d'aimer la façon dont tu parles des filles, tu sais.

– T'as tort. C'est pareil pour un mec. Je veux dire, tu peux inverser le truc, ça fonctionne pareil. Tu te plantes si tu crois que c'est irrespectueux ou sexiste.

Il l'attrape par les hanches, très doucement, et ne la lâche pas des yeux.

– Et puis tu sais, y a la cabane en bois qui tient avec une ficelle… dans laquelle moi, je pourrais vivre des années.

Il lui sourit un peu de travers – ça la chahute, dedans.

Elle voudrait se vexer ; quitte à saisir la métaphore, elle aimerait mieux être château, forteresse, ou demeure en pierre. Du solide, quoi. Mais la cabane, c'est le cœur des forêts, le nid de l'enfance, la première maison construite avec les mains. La cabane c'est précaire, mais on la reconstruit n'importe où : l'impulsion, le jeu, et un peu de ficelle – des fils qui se nouent entre eux et la cabane existe, devient solide, vaisseau, navire, refuge. La cabane, c'est la place en creux pour la rêverie, la solitude ou le silence des initiés, des serments, de la pluie qui passe entre les bouts de cloison. Le loup peut souffler et entrer, c'est vrai, mais on s'y emmerde moins que dans une maison Phénix avec alarme et double vitrage.

– Avant toi, Jeanne, je déménageais souvent.

Il n'est pas moqueur, pas rieur. Complètement sérieux : tout nu. Elle lui rend son regard avant de balayer la chambre des yeux ; un taudis, amalgame de fringues et de livres, de cendriers pleins. Des affiches de lutte, le visage d'Antonin Arthaud, celui – écorché – de Florence Rey, les mains tatouées de Mitchum. Chez elle. Chez eux. Elle fixe son attention sur les petits détails, pour ne pas être dévorée par la déclaration, somme toute assez grandiose.

– Viens, on redescend, elle chuchote.

– Non.

– Non ?

– Non, j'ai envie de vérifier un truc.

Il glisse une main sous son tee-shirt, décroche son soutif d'un geste.

– Cette histoire de goût, tu sais. Pour les amandes, j'ai un doute.

PÔLE EMPLOI

Ça commence toujours de la même façon. D'ailleurs, après aussi, c'est pareil. L'angoisse lente qui saisit Tonio à la vue des portes en verre. Les lignes de chaises bleu roi en plastique, fixées au sol. Dans certaines agences, elles sont vert pomme. Toujours fixées au sol. Pas pour éviter les vols, mais pour qu'elles ne puissent pas être utilisées comme des armes.

Tonio connaît la musique, et la couleur des chaises dans plusieurs agences Pôle Emploi de la ville. Parce qu'on le balade d'agence en agence, en fonction de son dernier petit boulot en date.

Tonio se souvient. Il n'est pas là pour rien : au temps de son mandat syndical, son nom faisait trembler les patrons des Télécom. De rage, d'inquiétude, de la nécessité de ne pas faire absolument *tout* ce qu'ils voulaient. Tonio était toujours là, capable de jouer la brute ou l'avocat, chien de garde des quelques droits que les employés conservaient encore, avant d'être fracassés par la privatisation telles des coquilles par une grande marée.

Et puis un jour, fatigué par les revirements de son syndicat, les *arrangements* avec le patronat, il a rendu sa carte. Trop pur pour les compromis, Tonio a pensé qu'il aurait les coudées plus franches, sans réaliser que même pourri, son syndicat le protégeait encore de la vindicte des petits chefs. Une fois sa carte rendue, Tonio a été muté, puis relégué dans un placard, son dossier marqué au fer par ses engagements de toujours. Et chacun avait si peur pour sa place que personne n'a levé le petit doigt pour l'empêcher de craquer : nouvelle ville, nouvelle équipe, nouveaux travailleurs acceptant *la loi du marché* pour ne pas finir au chômage. Il a démissionné sans anticiper le fait que personne, après ses anciens coups d'éclat, ne l'embaucherait plus. Depuis, il bosse sur des chantiers, se recycle au cours de ses missions – un intérimaire comme tant d'autres. Échangeable, jetable.

Il se lève, tend son ticket à la dame.

– Vous avez rendez-vous ?

– Non, mais…

– Faut prendre rendez-vous.

– Je sais, mais j'arrivais pas à vous joindre.

– C'est pas de ma faute.

– Je sais, mais je suis en fin de droit et je touche plus rien depuis…

Elle le coupe :

– Ben, faut prendre rendez-vous.

Tonio soupire, n'insiste pas, il sait que ça ne sert à rien.

– D'accord. J'aimerais prendre rendez-vous.

– Faut téléphoner, pour prendre rendez-vous.

– Mais… puisque je suis là, je peux prendre rendez-vous avec vous… enfin, auprès de vous.

Elle ne sourit même pas.

– Vous avez des téléphones, derrière.

– Vous êtes sérieuse ?

Elle n'a pas l'air de rigoler. D'ailleurs, elle doit pas rigoler souvent, vu les rides qui lui plissent les commissures.

– Très.

– Mais c'est absurde, puisque je suis là, et que vous êtes là, et que je vous parle ! Je vais pas aller téléphoner alors que vous pouvez m'écouter, et ouvrir votre agenda, et me proposer un rendez-vous !

– Pas d'agressivité, Monsieur.

– Mais je suis pas agressif ! C'est juste que c'est n'importe quoi, là… Je suis *là* ! Vous me voyez ? You-hou ?

Il fait des petits *coucou* de la main, le regard fondu dans le blême de l'employée. Qui le traverse sans le voir :

– Sinon vous avez les annonces, accrochées au tableau. Et vous pouvez consulter le site.

– Non mais je voudrais voir un conseiller, c'est tout.

Elle respire bruyamment :

– Prenez rendez-vous.

Tonio commence à avoir chaud. Il serre le comptoir de ses grandes paluches de manœuvre. Il pourrait briser la vitre, oui, ou lui écraser la carotide avec les pouces, juste avec les pouces. Elle se tord le cou pour regarder au-dessus de son épaule :

– Suivant !

Tonio s'en décroche la mâchoire. De stupéfaction, d'abord, et puis de rire. Il rit, de plus en plus fort, en saccades, au bord de l'étouffement. Les gens se retournent, l'observent, se détournent, et il continue de rire. Un fou, alors ils font semblant de ne pas le voir. La dame l'ignore, comme les autres. Elle insiste, d'une voix tendue, suraiguë :

– Suivant !

Tonio continue de rire, longtemps. Ses cris ressemblent à des râles, il se plie en deux jusqu'à s'asseoir par terre. Ses spasmes se prolongent, les gens sont mal à l'aise de voir ce grand bonhomme qui sent la bière à dix heures du mat, plié au sol dans un rire sans fin, un rire sans joie. Le rire devient jappement, gloussement de détresse, sanglot sec.

Dans la salle d'attente de Pôle Emploi, assis sur un lino grisâtre aussi triste que lui, Tonio s'enlise dans les hoquets. Il en pleurerait, s'il pouvait.

*

Heureusement qu'il y avait eu les *petits jeunes*, comme il les appelait au début. Marc l'avait récupéré un soir, bourré jusqu'à l'os, dans les locaux d'*Un futur libertaire*. Il l'avait cueilli comme un des siens, traîné jusqu'au squat de la rue Barbier. Stan et Latifa l'avaient nourri de coquillettes à la tomate pour éponger les dégâts. Il avait encore un reste d'énergie, suffisamment pour brailler et réclamer du parmesan à la place du gruyère, de la grappa à la place de la bière.

– Hé ho, le rital, commence pas à faire chier, avait grogné Stan, préposé au repas.

Mais face à sa gueule de chien perdu, son sourire auquel il manquait une dent – un sourire reconnaissant, en fait –, Stan n'avait pas insisté. Latifa avait ajouté une louche de sauce tomate sur son assiette de pâtes. Tonio passait sa langue dans le creux sans dent, pas encore habitué à ce vide-là.

– Tu t'es fait ça comment ?

– Les fafs, une baston y a quelques jours. Enfin, le mec en face a quand même eu le nez pété !

Évidemment, pas moyen de se faire mettre une couronne – pas de mutuelle, pas de fric. Le sourire du pauvre.

Il regardait les petits jeunes, organisés en meute bordélique ; c'était doux et brutal, cette vie à plusieurs – visible à l'œil nu.

– Je peux peut-être vous aider à retaper ça…

Il avait désigné un pan du mur fissuré, qui partait en miettes de béton, le froid qui rentrait par les interstices de la fenêtre déglinguée.

– Si tu veux, ouais.

Quelques jours plus tard, le *vieux* l'était déjà moins, ses rides avaient disparu dans le rire et le maniement concentré d'une truelle – et il expliquait à Basile comment Berlusconi avait tué l'Italie.

UN PNEU CREVÉ

Jeanne traîne son sac comme un baluchon de voyage, le dos courbé. Se pose en terrasse, oiseau de jour un peu déplumé, les ailes froissées. Pourtant, elle a dans sa poche les résultats des partiels de janvier, plutôt bons. Ses cheveux voltigeurs lui retombent sur les yeux. Jeanne respire les odeurs de début de printemps, crispée par les restes de froid mais tant pis, elle préfère rester dehors. D'un signe, elle salue Slimane à travers la vitre, qui s'agite derrière son comptoir, enchaîne les cafés-verres d'eau.

La jeune fille qui s'approche, elle la connaît de vue ; une qui parle seule et insulte les gens. Elle a l'air calme ce matin, protégée par plusieurs épaisseurs de fringues. Engoncée dans sa parka déchirée ouverte sur un sweat zippé jusqu'au menton, elle s'avance vers Jeanne.

– Tu donnes une clope ?

Jeanne sort son paquet, le lui tend. La fille en prend trois, en range deux dans la poche de son sweat. Jeanne voit les écorchures aux jointures de ses mains. Des croûtes sur son visage, et sous l'oreille.

– Merci, t'es gentille, toi. T'as du feu ?

La flamme du briquet jaillit entre les doigts de Jeanne. La fille titube un peu, brûle la clope au milieu sans parvenir à l'allumer.

– Merde ! Merde ! Vas-y, allume-là ! J'y arrive pas.

La clope est foutue. Jeanne la jette dans le caniveau, ressort son paquet en soupirant et en allume une autre. Qu'elle fait passer à la fille. Sautillements nerveux, bouffées de fumée et d'intranquillité.

– Je m'assois, hein.

Jeanne ne sait pas – ne peut pas – envoyer bouler quelqu'un d'aussi perdu. Elle aimerait, parfois, mais elle n'y arrive pas.

– Tu me trouves belle ?

– Hein ?

– Y a un connard, tout à l'heure, il a dit que j'étais moche comme un pneu crevé.

– C'est un connard, tu viens de le dire.

La fille ouvre la bouche en grand, exhibant deux rangées de dents immondes, noires ou grisées, des trous dans la gencive.

– C'est à cause de mes dents. Ça fait pas un joli sourire, tu vois. Pas comme toi. C'est moche. Un pneu creuvéééé, pffffuit !

Elle grimace, les yeux exorbités exprès, et part dans un long rire sans joie. S'arrête net.

– T'as pas de la thune ?

Ça, c'est plus facile à refuser. Quand t'as pas grand-chose… mais même ça, c'est difficile.

– Juste de quoi payer deux cafés.

– Super. Hé, super. Ouais. C'est cool. T'es cool, toi. T'es gentille.

Elle se lève et braille :

– Slimaaaane ! On veut deux cafés ! Deux cafés, t'entends ?

Malgré la porte fermée, Slimane a entendu le cri, et les gesticulations de la fille. Il secoue la tête et engage deux tasses sous le percolateur.

– À l'hôpital, ils m'ont foutue dehors.

– À l'hôpital ?

– Psy. L'hôpital psy. Là où ils te donnent des petits cachets…

Elle fait une moue gourmande, comme si les « petits cachets » avaient la saveur d'un extasy.

– L'hiver dernier ils m'ont gardée un moment, c'était bien. Ils m'ont fait faire tout un tas de trucs à la con, de la peinture et de la poterie. C'était naze mais j'avais ma chambre. Cette année, pas moyen ! *Y a plus de place*, il paraît. Tu le crois, ça ? Faut que je fasse quoi, à ton avis ? Que j'attaque un mec au cutter, pour qu'ils me trouvent un lit ?

Un silence, parce que Jeanne ne sait pas quoi répondre. La fille se remet à rire, c'est glaçant ce rire – Jeanne évite de poser les yeux sur les dents grises. La porte tinte et Slimane vient poser deux tasses sur leur table.

– Tu fais pas d'histoires, Babeth, d'accord ?

– Pourquoi tu dis ça, connard ?

Slimane soupire, s'adresse à Jeanne :

– Si elle t'emmerde trop, tu la vires.

– Hé, comment tu parles de moi ? Je suis là !

Et elle se met à chantonner, sur tous les tons : *connard, connard, connard…*

– Écoute, Babeth, je suis le dernier patron de bistrot qui tolère ta présence, alors pousse pas trop, d'accord ?

D'un seul coup, elle prend une voix de toute petite fille :

– Tu veux pas leur dire de me prendre, à l'hôpital, toi ? T'as qu'à dire que t'es mon papa…

Slimane lève les yeux au ciel avec un sourire de gratitude envers le destin.

– Je les ai déjà appelés une fois, parce que tu foutais le bordel dans mon bar. Tu te souviens de ce que ça a donné ?

– T'as appelé les pompiers ! Ils sont venus à douze et ils m'ont embarquée aux urgences ! Ils m'ont piquée, ils m'ont gardée vingt-quatre heures et ils m'ont jetée dehors !

Slimane empoche les euros que lui tend Jeanne. Il retourne à l'intérieur du bar.

– Mais toi, tu vis dans un squat, c'est ça ?

Jeanne se tend, mal à l'aise.

– Oui.

– Y a de la place pour moi dans ton squat ?

– Pas vraiment, non. C'est grand mais pas immense. Et puis on est déjà sept.

– Je prends pas de place, et puis j'ai pas d'affaires, regarde !

Elle écarte les bras, prouve qu'elle n'a avec elle que cet amoncellement de fringues qui la ceinture. Le cœur de Jeanne s'affole, honte et refus, culpabilité, tout se mélange. Babeth – maintenant qu'elle a un prénom, c'est pire – la regarde avec dédain.

– Aaaah, d'accord, c'est un squat de bourgeois, c'est ça ? Une petite colocation de fils à papa !

Jeanne voudrait se défendre, dire que non, qu'ils imaginent une vie collective fondée sur des principes d'autogestion, et que ça demande beaucoup d'efforts et d'investissement, mais les mots lui semblent soudain factices, ridicules, face à cette meuf perdue et seule, à la rue.

– Des petits révolutionnaires qui se branlent le cerveau avec plein de belles théories mais qui partagent pas leur joli pavillon…

Et elle éclate à nouveau de son rire incendiaire et malade.

– C'est pas ça, mais…

– T'as déjà dormi dehors, *poussin* ? Je veux dire, pas dans une jolie tente au camping, mais dans la rue, parce que t'as pas le choix ?

Avant que Jeanne ne réponde, le visage de Babeth se transforme et sa voix se fait douce et enfantine :

– Pardon, toi t'es gentille. Pardon. Pardon. Tu donnes une cigarette ?

Jeanne a fini son café. Se dit *Merde, c'est pas moi qui gère les hôpitaux. C'est pas de ma faute. C'est pas de ma faute !* Elle se demande pourquoi elle est sortie ce matin. Pourquoi elle n'est pas restée dans la chaleur de Basile, à qui elle pense pour se donner des forces. Elle se lève, tend son paquet de clopes à Babeth.

– Vas-y, garde-les.

La jeune fille ricane, empoche le paquet. Jeanne grimace un sourire, amorce un geste de la main.

– Salut.

Babeth ne répond pas, mais tandis qu'elle s'éloigne, les épaules lourdes du poids des livres, dans son sac, Jeanne l'entend chanter :

– Petit poussin, piou piou piou – moche comme un pneu crevé !

*

En arrivant au squat, elle fonce au jardin. Basile boit un café, assis par terre, les yeux dans la lumière.

Jeanne jette son sac, s'enroule autour de lui. Son menton se pose dans une clavicule.

– Pourquoi Tonio il dit toujours qu'il te « doit une dent » ? C'est quoi, cette histoire ?

Basile sourit au souvenir.

– Quand il nous a rejoints au squat, il lui manquait une dent. Une baston, il se fritait encore plus souvent

avec les fachos, mais je crois qu'au fond, il est tellement furieux pour un tas de raisons… il aime se battre.
Bref, on a trafiqué, il a utilisé ma mutuelle pour se faire
mettre une couronne. Voilà.

– Personne s'en est rendu compte ?

– Non, heureusement. Ça devient serré, les contrôles.

Jeanne dévisage Basile, un élan la traverse.

– Je suis désolée pour l'autre jour, vraiment. Quand
je me suis énervée dans l'escalier, tu sais. On n'en a
pas reparlé mais… je t'aime, Basile.

– Ben, moi aussi. Et laisse tomber pour l'autre fois,
t'inquiète. T'es chiante parfois, et je comprends pas
tout. Mais je t'aime, moi aussi.

Comme ça, entre deux gorgées de café, entre deux
silences lumineux. Presque pour le plaisir de devoir se
taire après. Ne pas ressasser les choses inutiles, aller à
l'essentiel. C'est bien : comme si de rien.

TRANSHUMANCE

– Tu deviens pas un peu excessif, avec tes légumes, Jules ?

Lucie enfile ses bottes, et puis cherche son écharpe dans les recoins de la chambre.

– Pourquoi excessif ?

Flegmatique, Jules, et chaque jour qui passe un peu plus barbu.

– Non, c'est pas ce que je voulais dire, mais… t'es tellement à fond.

– Ben, et toi ? Je croyais que t'étais à fond aussi. Vivre avec les autres, tout ça.

– Bien sûr. Mais avec les *gens*.

Jules la regarde s'agiter, soulever les objets, les fringues, à la recherche de sa fameuse écharpe.

– C'est forcément mieux ?

– Non… Fais comme si j'avais rien dit.

– C'est marrant, je pensais que tu trouvais ça important, de cultiver pour produire sa propre nourriture, de pas bouffer la merde qu'ils mettent dans nos assiettes, tout ça.

– Bien sûr que je trouve ça important… Ah, la voilà !

Lucie s'entortille dans son écharpe de deux mètres – une corolle mauve qui électrise ses cheveux trop fins. Elle se fige devant la porte, observe Jules avachi sur le lit, l'ordi ouvert sur un site d'agronomie alimentaire.

– Mais… à ce rythme… Je sais pas, tu loupes les cours à la fac, t'étudies des trucs à longueur de temps sur les fruits, les légumes, les ZAT agricoles. C'est super mais… ta licence ?

Les camions du POUM et de la CNT traversent la chambre comme les Ramblas de Barcelone – en noir et blanc, en noir et rouge. L'Espagne libertaire, avec ses chariots de résistants et ses vieux fusils, s'enlise entre les plants de choux-fleurs et les semis. Il y a quelques semaines à peine, Jules pensait vraiment que rien ne pourrait l'empêcher de continuer à étudier l'Histoire, jusqu'à cette fameuse thèse qu'il rêvait d'écrire. À présent…

– Lucie…

– Quoi ?

– Je crois que j'ai envie d'aller à la campagne. *Vivre* à la campagne. Apprendre à cultiver.

Lucie reste interdite, toute raide et les cheveux en couronne.

– En fait, je crois que je veux être agriculteur.

Le silence se prolonge. Lucie penche la tête et se caresse la joue, lâche Jules du regard pour envoyer ses yeux au-delà, dans le mur blanc et les échos de son étonnement.

– On… On en reparle plus tard, tu veux bien ? Il faut vraiment que j'y aille, là.

Elle dégringole les escaliers, file au taf – manquerait plus qu'elle arrive en retard et que l'autre connard la vire.

Jules reste songeur, ébloui par sa propre conclusion, bouleversé par sa trouvaille. La terre, oui, mais pas seulement. Il n'a pas eu le temps d'en parler à Lucie, mais il y a aussi les bêtes, et le désir d'y aller – non pas là où tout a commencé mais là où tout pourrait continuer : dans les montagnes, celles de son arrière-grand-père. Celles que son grand-père a fuies pour aller trimer à la chaîne dans l'usine d'une petite ville, au centre de la vallée. Persuadé que ce serait mieux, que la vie serait facile, meilleure. Ces montagnes que son père n'a jamais connues, fonctionnaire dans une administration de la même petite ville. Ces montagnes que Jules lui-même a à peine vues, en balade quelquefois.

Un souvenir, pourtant, vivace et magique : le jour où les moutons quittaient l'alpage pour descendre dans la vallée. Et celui où ils remontaient au frais, dans les hauteurs. Où des milliers de bêtes envahissaient la petite ville, deux journées chaque année. L'odeur de leur pelage sale, le bruit infernal de leurs bêlements affolés – et ces hommes silencieux qui menaient les bêtes.

Transhumance. Il mâche le mot comme un morceau de pain un jour de famine. Le répète, mantra secret, si beau dans sa forme et par les images qu'il lui évoque. *Transhumance.* Il participera à la prochaine, c'est décidé.

Et Lucie ? lui souffle une petite voix.

On ne peut pas *tout* partager, n'est-ce pas ? Alors son désir fait taire la voix, un désir – impérieux, limpide – de suivre le chemin des montagnes, des bêtes, et des hommes qui n'ont pas besoin de parler.

Et après ?

Après… *on verra bien*, pense Jules.

NOW FUTURE

– T'es sûre ?
– Mais oui !
– Tu vas pas regretter ?
– T'es chiant. Vas-y, je te dis !

Le sabot glacé de la tondeuse frôle la nuque de Jeanne, se pose dessus. Basile remonte le long de son crâne. Ça la fait frissonner jusqu'en bas du dos. Du coup elle s'ébroue, les épaules secouées.

– Bouge pas ! J'ai pas envie de te faire des trous dans la tête.

– En même temps, avec un sabot d'un millimètre, tu vas pas non plus faire des escaliers…

Il se marre. La première lanière de cheveux épais tombe sur le sol. Ça lui fait drôle, il continue. La tondeuse vibre fort contre la tête de Jeanne, le métal n'est plus froid. Ses cheveux s'étalent en grappes blondes autour d'eux ; plus il y en a, plus la tension dans son ventre s'accentue. Comme si elle faisait quelque chose de vraiment grave, comme si l'instant était dramatique alors qu'au fond, il s'agit seulement d'une coupe de cheveux. La faute aux mille symboles qui accompagnent les filles quand elles sacrifient leur tignasse.

Jeanne voulait une nouvelle tête, un air de guerrière pour *l'insurrection qui vient…*

C'est demain. Demain qu'ils partent au Contre-Sommet : quelques heures de route pour rejoindre les baraquements de fortune, tentes, lieux collectifs habités pendant plusieurs jours par des milliers de résistants. *Contre-Sommet*, un joli mot, une métaphore parfaite de la pyramide du pouvoir.

Ils seront nombreux, venus du monde entier ; cette pensée les galvanise. L'énorme manifestation viendra prendre en tenailles l'immense building dans lequel se réuniront tous les grands chefs d'État. Tonio connaît, il a participé à d'autres Contre-Sommets, dans d'autres pays. Marc aussi. Ils parlent de groupes et de sigles, de fêtes délirantes improvisées dans les nuits qui précèdent les manifestations.

Le printemps est là. *Et les partiels ?* On verra bien.

Après Jules, c'est Ali qui a décidé de lâcher la fac. Elle peint, aimerait entrer aux Beaux-Arts. Ça sert pas à grand-chose pour avoir un boulot mais elle s'en fout, comme eux tous : l'important est ailleurs.

Les flics ne sont pas revenus, et aucun huissier n'a toqué à la porte. Pas non plus d'avis de passage dans leur boîte. Ce n'est pas forcément bon signe. En fait, ils ne savent pas.

Au fil des mois, le squat a pris des allures de squat, des copains de passage ont oublié des objets hétéroclites, absurdes parfois. Une poupée Barbie, nue et pendue, fait office de chasse d'eau. Ali a peint sur certains murs des corps sans tête, torturés ou inertes, opulents ; et des phrases s'étalent en lettres noires un peu partout dans la maison – des bouts de poèmes, des slogans, appels à la révolution. Le préféré de Jeanne est dans la cuisine :

JE SUIS UN PEAU-ROUGE
QUI NE FERA JAMAIS LA FILE INDIENNE

212

Basile a un faible pour celui de la salle de bain du rez-de-chaussée – en tout petit, presque au niveau du sol, on peut le lire quand on est franchement avachi sur les toilettes :

SI TA MÈRE TE VOYAIT !

Il y a aussi cette ouvrière musclée qui affirme, au nom de toutes les femmes : WE CAN DO IT – et juste à côté, un cliché aux yeux rouges de Jeanne et Alison, un lendemain de cuite, vautrées dans le canapé. Au marqueur, Basile a écrit : ENFIN, ÇA DÉPEND DES JOURS !

Et sous la Baronne, qui arbore désormais des bacchantes au feutre vert, en lettres énormes :

LE CAPITALISME NOUS AFFAME :
BOUFFONS-LE !

Dans l'ensemble, c'est assez crade, malgré la fameuse *organisation collective*.

– Voilà.

Basile jette la tondeuse sur le lit, attrape le menton de Jeanne, tourne son visage à droite puis à gauche. Il l'inspecte avec un petit sourire en coin, attrape soudain sa bouche avec la sienne. Elle se dégage sans conviction.

– Je ressemble pas trop à un garçon ?

– Si. À un légionnaire, même. J'aime beaucoup. C'est hyper sexy.

– T'es con...

– Non, je suis très ouvert, c'est tout. Allez viens, on va prendre une douche, t'as des cheveux partout.

Jeanne se regarde dans le miroir. Crâne tondu, ça la rend anguleuse. Elle aime bien, comme un nouveau visage qui sort de l'ombre. En passant sa main sur son crâne, elle frissonne d'un plaisir inédit, sensuel. Elle se sourit, décale son regard sur Basile qui colle son ventre à son dos, et ils restent là à s'observer, à dévisager dans le miroir cette drôle d'entité qu'ils sont devenus.

Elle a lâché prise, Jeanne. Elle s'étonne encore, s'angoisse parfois, en sursaut. Mais toujours elle revient à l'essentiel : ici et maintenant. *Hic et nunc*, dirait son père. Elle grimace dans le miroir, avant qu'ils n'aillent la prendre, cette fameuse douche.

DEMAIN

La révolution bondira
De jardin en jardin
De livre en livre
Et à la fin
Nous nous retrouverons tous
Sur les terrasses de Babylone
Dans les fleurs et le claquement des
                    [drapeaux rouge et noir
À boire joyeusement
En regardant au loin
Les ruines désertiques
Du monde spectaculaire marchand.

  Jérôme Leroy, *De jardin en jardin*

SUR LA ROUTE

Ils sont partis au petit matin. Serrés dans le camion de Tonio, sacs et duvets en vrac, ils savourent la route, en goûtent chaque péage. Ils vibrent d'une excitation guerrière. À l'assaut des puissants, parmi les autres. Marc conduit, son chat noir mordillant le volant. Soleil dans les yeux.

Jeanne, fière de son crâne rasé, joue le naturel de celle qui n'a jamais connu d'autre coupe. Elle arbore une boucle d'oreille en bois noir à l'oreille gauche, cadeau de Basile, qu'elle tripote sans cesse. Lui, il sourit aux arbres et aux poteaux électriques, aux bornes à incendie, au paysage qui défile. Dans le bruit du moteur, tous partagent l'excitation du voyage, les yeux à l'affût des voitures remplies d'autres et mêmes, roulant dans la direction du Contre-Sommet...

Et puis, à la sortie d'un péage, ils les voient : les premières dizaines de camions bleu marine, qui vomissent des CRS armés jusqu'aux dents. Et des flics, brassards orange rutilant dans le soleil. L'un d'eux leur fait signe de s'arrêter sur le côté, comme beaucoup d'autres devant eux. Les véhicules s'entassent sur le bord de la route, des groupes s'alignent dans la lumière ; les fouilles ont commencé. Voitures, camions, sacs et poches – tout. Les signes extérieurs de résistance donnent des arguments aux représentants de l'ordre, des repères dans le choix des méfiances. Délits de faciès, de sale gueule, de gauchisme, port du foulard pro-palestinien, bannières, banderoles, autocollants autonomistes sur les vitres arrière, Doc Martens et sweat à capuche, lacets rouges, crêtes, cheveux hirsutes… tout est bon pour justifier leurs interventions.

Eux, ils cumulent :

La barbe de Jules

La gueule cassée de Tonio, son catogan de vieux gauchiste

Le tatouage de Marc, le dédain quand ses yeux se posent sur un uniforme

Le rouge sanglant des lèvres d'Alison, et son regard buté

Le crâne rasé de Jeanne, son tee-shirt *Pas de guerre entre les peuples, pas de paix entre les classes*

Les cheveux trop longs de Basile, qui retombent en vrac sur le col de sa veste kaki, son écusson des Bérus

L'air illuminé de Lucie, dans sa robe à fleurs des années 60

… et l'état déplorable de leur carrosse.

Ils sortent, s'ébrouent comme des chiens sous le regard des flics, saluent joyeusement leurs frères et sœurs de lutte comme s'ils se connaissaient depuis toujours. Les réponses ne se font pas attendre, les poings se lèvent, des cris de provocation – *Police partout, justice nulle part…* s'élèvent dans les odeurs de goudron chauffé au soleil. Les flics sont nerveux, dépassés par le nombre, agacés par ces *rebelles* qui n'ont même pas l'air si méchants.

– Vous cherchez quoi, exactement ?

– Une bombe ?

– Ah ouais dis donc, c'est vrai qu'on est des terroristes !

– Si seulement…

– Vous cherchez des flingues ?

– De la drogue ?

– Vous voulez juste nous ralentir ?

– Nous humilier ?

– Nous faire chier ?

Une femme brune, jambes écartées et mains sur la tête, se laisse fouiller par une policière aux traits tirés. Elle entame un chant vieux de quelques décennies, héritage des manifs féministes :

– *Allez les gars, combien on vous paye ? Combien on vous paye pour faire ça ?*

Et le chant est repris de bouche en bouche, une ritournelle insupportable qui met au supplice les forces de l'ordre. Même pas insultant, même pas de quoi les faire taire à la matraque : ils sont désespérément dans leur droit, ces *petits cons de gauchistes.* Pour l'instant.

Et tous se mettent à taper dans leurs mains, dansent au rythme de la chanson.

Les flics fouillent méthodiquement chaque voiture, retournent les sièges dans l'espoir de dégoter quelques tracts aux formulations trop révolutionnaires ou même une minuscule boulette de shit qui leur donnerait de quoi en empêcher deux de passer.

Eux, les sept alignés le long du camion, sont à la fois goutte et marée, unis ensemble et faisant partie du lot. Ils se regardent et le rire est contagieux. Tandis qu'un flic inspecte le camion, Basile penche la tête sur le côté, et les autres suivent aussitôt, hilares. *Big Brother is watching you…*

Ils savent que les flics les laisseront passer. Que ce barrage n'est qu'une tentative d'intimidation, une façon d'observer l'adversaire. Mais *Adversaire*, c'est déjà quelque chose.

Jeanne le voit clairement, à présent : chacun d'entre eux est devenu les autres. Ils faisaient groupe déjà, nombre aussi ; ils sont devenus unité. Non que leurs personnalités aient changé, ou qu'ils aient perdu de vue qui ils étaient séparément ; mais ils se sont déversés en chacun, à tour de rôle et tous ensemble, pour former ce bloc, cette entité dure et pourtant si fragile du Nous.

Le groupe
La bande
La famille
Le nœud
La meute
Ils sont là.

Ils sont vivants, et jamais ils ne l'ont été de manière aussi palpable. Ça circule dans leurs veines, leurs regards parlent pour leurs bouches, leurs mots ont un sens commun, leurs peaux vibrent à l'unisson.

Dans la chaleur du printemps, face à mille hommes casqués qui ne leur veulent pas de bien, fouillée par les flics et reniflée par les chiens, Jeanne ne peut pas s'empêcher d'être heureuse. Basile passe une main douce sur son crâne rasé ; elle frissonne.

Au bout d'un moment, les flics sont bien obligés de les laisser partir.

UNE PROMESSE

– Dans le stade ?

Marc acquiesce. Il est allé se renseigner, après avoir garé le camion sur un immense terre-plein couvert de véhicules. D'autres camions, comme le leur et même pires, au milieu d'un magma de voitures. Des gens partout, parlant d'autres langues ou la leur, s'égaient le long du parking.

– Ouais. On peut s'y installer pour la nuit. Comme on n'a pas de tentes, c'est ce qu'il y a de mieux. De toute façon, on est éparpillés un peu partout. On est hyper nombreux.

– Mais pourquoi le stade ? insiste Jules.

– Y a de la place, dans un stade. Et puis on sera pas les seuls, ils sont déjà une centaine installés là-bas.

Jules n'aime pas l'idée, c'est manifeste.

Chacun extirpe son paquetage, se met en route. Marc en tête.

– Pourquoi tu bloques, Jules ? demande Jeanne. C'est quoi cette histoire de stade ?

Jules traîne des pieds.

– Santiago du Chili.

– Quoi ?

– Tout de suite, râle Marc en rigolant, tout de suite : les grandes références !

– Ben ouais.

– Ah putain, les historiens…

Mais Marc apprécie les Grandes Références. Il embraye :

– Tu connais pas l'histoire du coup d'État, Jeanne ? Pinochet, le stade, tout ça ?

Elle saisit sa lèvre entre ses deux doigts, plisse les yeux. Au rire de Basile, qui la dévisage, elle secoue la tête et assume son ignorance.

Marc encourage Jules d'un geste ample, et de la voix :

– Ben vas-y, raconte-leur !

– Non non, toi.

– D'accord, mais tu m'arrêtes si je dis une connerie. Les dates, tout ça…

– On s'en fout des dates ! lance Tonio en faisant des signes d'amitié à chaque groupe qu'ils croisent. L'important, c'est…

– L'important, c'est que ça peut toujours recommencer, souffle Jules. Alors faut faire gaffe.

– En septembre 73, commence Marc, au Chili, il y a eu un putsch. Allende venait d'être élu à la présidence. C'était un socialiste, un vrai…

– … au sens communiste, complète Jules.

– Allende, je connais, tranche Jeanne, un peu vexée.

– Le général des armées, Pinochet, a organisé un coup d'État, aidé par les Américains. En une nuit, ils ont attaqué partout, tout le monde, ils ont pris le pouvoir, c'était l'horreur, résume Marc.

– Il te la fait courte, reprend Jules, mais ce qu'il te dit pas, c'est qu'ils ont rassemblé tous les militants socialistes qui soutenaient Allende dans un stade, justement. En plein milieu de Santiago du Chili. Et pendant plusieurs jours ils ont torturé, mutilé, exécuté, des milliers d'étudiants, ouvriers, militants…

– … poètes, conclut Basile, tristement.

L'histoire à quatre voix fascine Jeanne.

– Poètes ?

– Victor Jara, tu te souviens ?

– Celui qui chantait *Te recuerdo, Amanda* ?

– Exact. On raconte qu'il s'est mis à jouer de la guitare, au milieu du stade, pour donner courage aux autres – ils savaient pas ce qui allait leur arriver, s'ils allaient tous mourir ou pas, tu vois ? Certains avaient déjà été exécutés mais ils pouvaient pas savoir ce qui se passait en-dehors du stade. Ils avaient encore de l'espoir.

Basile fait une pause. Tonio s'y engouffre :

– Alors ces crevards de militaires lui ont coupé les doigts, à la hache.

– Mais il a levé ses mains qui pissaient le sang, et il s'est mis à chanter, continue Jules. Et toute la foule s'est mise à chanter avec lui. Alors ils l'ont fusillé.

Ils se taisent à présent, avancent vers le stade, émus.

– C'est vrai ou c'est une légende ? demande Alison.

C'est Marc qui répond :

– Pour les doigts, c'est sûr. Pour la chanson… L'Histoire, c'est toujours un mélange des deux.

Avant que Jules ne contredise Marc pour parler de *faits objectifs*, Basile reprend :

– La maison de Neruda a aussi été saccagée par les militaires, et il est mort au même moment.

Jeanne observe Basile, étonnée. Aimerait l'interroger mais se retient. Elle regarde autour d'elle : des milliers de personnes, sacs en bandoulière, investissent le stade, déroulent d'immenses banderoles le long des gradins. Du bruit, des rires, des cris, des conciliabules hurlants dans les portables pour retrouver un copain égaré au milieu de la foule. Ils avancent, volontaires et perdus, encore accompagnés par l'image des militaires torturant les communistes chiliens. Ils ne se le disent pas mais tous entendent la voix de Jara leur chuchoter *Te recuerdo, Amanda ? La calle mojada, corriendo a la fabrica donde trabaja Manuel ?*

Ils saluent, sourient à s'en fissurer les mâchoires. Jeanne n'a jamais vu autant de monde. Ils sont tellement nombreux... bien plus qu'une poignée.

Des milliers, ils sont des milliers.

Marc reconnaît des copains au milieu de la foule, slalome pour parvenir jusqu'à eux, s'avance en braillant de joie. Tonio les connaît aussi. Il les désigne à Jules :

— Des amis des Fauvettes, je t'en ai parlé, tu te souviens ?

Jules acquiesce, très intéressé. Ceux qui ne se connaissent pas se présentent, embrassent et se font embrasser, malaxer les épaules, taper dans le dos. Les prénoms fusent, les mains s'attrapent et se serrent. Jeanne dévore tout, happe les visages, les voix, tente de retenir le nom de chacun. Les groupes se croisent et se mélangent, comme des petites nappes de pétrole qui s'agglutinent et forment une marrée noire.

Ils posent leurs sacs, déroulent duvets et couvertures pour délimiter leur territoire. Après, ils s'affalent en meute, ouvrent des bières et se rencontrent.

*

— Arrête ! Y a du monde partout...

Jeanne s'enfonce un peu plus dans le cocon des deux duvets qu'ils ont zippés ensemble. Emmêlés dans leur chaleur, ils chuchotent et gigotent et Basile caresse Jeanne, tente d'atteindre les creux les plus doux. Elle se débat, étouffe ses rires, lui tient les poignets. Il s'obstine.

– On s'en fout, on est dans notre cabane…

Il rabat le haut du duvet sur eux.

– Basile…

– Quoi ?

– Ça te dirait pas, qu'on aille s'installer dans un lieu comme ça ?

– Dans un stade ? T'es sûre ?

– T'es con !

Elle ne peut pas s'empêcher de rire, son souffle saccadé dans le cou de Basile. Alors il continue :

– C'est sympa, c'est vrai, et puis y a de la place, on pourra inviter les copains…

– Essaie d'être sérieux deux minutes : t'aimerais pas ?

– Vivre aux Fauvettes ?

– Ouais. Là-bas ou un lieu du même genre.

– Je sais pas. Peut-être.

– Vas-y, dis.

– Quoi ?

– T'as pas l'air emballé.

– Si, bien sûr. Se fabriquer une yourte en peau de castor et biner les oignons, je suis sûr qu'on va kiffer.

– T'exagères !

– Je déconne, Jeanne. Oui, ça pourrait me dire, bien sûr.

– Jules et Lucie ont l'air à fond.

– Jules, surtout…

– Je sais pas, mais aller voir comment ça se passe, y rester quelque temps… ce serait bien, non ? C'est là-bas que les choses se passent, c'est dans ces lieux-là qu'on peut imaginer mieux… autre chose.

– D'accord.

– D'accord ? Comme ça ?

– Ben oui. Tu me demandes, je te réponds : d'accord.
Avec toi… Quand tu veux. Où tu veux.

– T'es sérieux ?

– Oui. On empêchera la construction des aéroports
et des tunnels, on bouffera des lacrymos, on construira
des cabanes. J'apprendrai à couper du bois, tu m'appel-
leras Charles et je t'appellerai… Merde, elle s'appelle
comment la meuf de Charles Ingalls ? J'ai oublié.

– Tu lâcherais ton taf ?

– Tu sais, le boulot… si tu bloques dessus, tu fais
plus rien. Y en aura là-bas, du boulot. Je prendrai mon
matos. Il doit y avoir un max de baraques pourries qui
ont besoin de mes talents. Et puis, pour le pognon…
c'est le genre d'endroits où t'as moins de besoins. Ça
s'organise autrement.

Jeanne émerge du duvet, impossible de rester là-
dessous sans étouffer.

Autour d'eux, un brouhaha de paroles et de rires qui
ne cesseront pas de la nuit. Moins fort, moins éclatant
qu'il y a une heure, mais certains ne dormiront pas,
c'est sûr. Marc, Tonio et Ali discutent avec des copains,
bières en bouche. Jules s'est écroulé contre Lucie après
avoir posé mille questions sur l'organisation agricole
au sein de la communauté rurale dont ils viennent. Un
sourire béat lui coupe le visage tandis qu'il s'endort
au milieu du joyeux bordel. Jeanne observe les gigan-
tesques banderoles suspendues aux gradins. Les corps
endormis, les mots qui s'échangent encore dans des
langues qu'elle ne comprend pas.

– Et toi ? La fac ?

– Des bouquins, y en a partout.

Elle sent contre elle le corps chaud de Basile, son
impatience.

– Non, vraiment, y a trop de monde… Demain, d'accord ? On se trouvera un coin plus tranquille.

Il stoppe ses incursions, fourrage de la tête entre ses seins et grogne de dépit, mais s'y endort vite. Elle ne bouge pas, le corps un peu malmené par le sol irrégulier. Une main posée sur la nuque de Basile. Elle pense : *Demain*.

Son autre main se promène sur une épaule – et puis sur l'autre.

Elle pense : *Demain, à l'assaut du sommet*. Un dernier regard sur les compagnons de lutte qui repoussent la nuit, et elle ferme les yeux.

Demain

Demain ne lui a jamais paru aussi beau.

Demain est une promesse.

BIEN PLUS QU'UNE POIGNÉE

Il plante ses yeux dans les siens. Basile la touche avec les yeux – et son sourire, quand il retire son bonnet, lui fait l'effet d'une main glissée entre ses cuisses. Heureusement qu'elle ne rougit pas. Heureusement que les filles peuvent cacher une partie de ce genre d'émois. Elle pense que s'il voyait l'intérieur de sa tête, ils quitteraient la manif tous les deux, tout de suite.

Il sort une pince de son sac à dos, chope un bout du tissu – *clac*. Un autre quelques centimètres plus loin – *clac* encore. Il enfonce le bonnet sur la tête de Jeanne, à fond, jusqu'à couvrir son visage ; elle sent la laine sous son menton, et ses mains à lui qui effleurent son cou, dans le noir. Il ajuste et elle ouvre les yeux, pile poil dans les ouvertures qu'il vient de découper. Son souffle contre la laine chauffe le bas de son visage. Il la tient par les épaules, la secoue légèrement, tendrement.

– Jeanne, on est magnifiques, on peut tout.

– Et sinon, j'ai l'air de quoi ?

– Ils peuvent toujours nous filmer pour nous ficher, on est anonymes, c'est le but. Et puis… tu fais peur.

– À toi aussi ?

– Non. Pas à moi. Toute façon, j'ai peur de rien !

Il éclate de rire. Elle sait qu'il n'y croit pas plus qu'elle. C'est juste pour faire le malin. Pour la faire rire aussi, et ça marche. Lui aussi enfile son bonnet. Ils ont des gueules de terroristes, Jeanne aime bien la sensation. Inverser les choses, faire peur pour une fois. Le frisson roule et remonte le long de son dos à mesure qu'elle entend à nouveau les cris, slogans intenses qui résonnent par des milliers de voix. Basile attrape sa main, croise ses doigts dans les siens. Ils sont une poignée, ils sont des milliers. Ils sont deux, elle et Basile dans le reste du monde. Ça pourrait durer une vie entière, elle pense.

De l'extrême gauche pacifiste aux autonomes anarchistes des Black Blocs, tous ont le même but aujourd'hui : dire qu'ils existent, qu'ils refusent le nouvel ordre mondial, le capitalisme au visage immonde. Des mains trempées dans la peinture blanche s'ouvrent vers le ciel, vers les caméras fixées sur les hélicoptères tournoyant au-dessus de la foule. Des doigts se tendent, dérisoires insultes, cris de vindicte – et des poings serrés par milliers. *No pasaran !* Le cri prend forme à mesure que les voix s'accordent dans une même scansion. *No pasaran !* Mais *ils* sont déjà passés depuis longtemps, arguments économiques en étendard, appauvrissement et déculturation en arme de pointe – combat sournois, gagné d'avance.

La foule, comme un gros serpent mou et pourtant prêt à mordre, se serre et ondule et déferle lentement vers les barrages policiers. Jeanne tremble d'en faire partie. À sa gauche, Tonio entonne :

Una mattina, mi son svegliato…

Et quinze voix reprennent :

Oh bella ciao, bella ciao, bella ciao, ciao, ciao…

La voix de Jeanne se mêle à celle des autres, le chant lui soulève le cœur à mesure que les voix se multiplient – pas la nausée, non, mais plutôt une caresse géante qui l'envoie en lévitation, un peu ivre.

E quest'è'l fiore...

Autour d'eux, les visages se masquent. Peu à peu la foule se transforme en bloc noir, des yeux à l'affût sur des corps en rage.

Morto per la libertà...

Pour Jeanne, peur et excitation se mélangent, son sang coule plus vite, des bouffées d'adrénaline la saisissent à la gorge. Pour rien au monde elle ne voudrait être ailleurs. Même les tirs tendus de lacrymogène ne l'inquiètent pas. Au contraire : ils la galvanisent, donnent une réalité à la lutte. Ennemis d'État, ennemis des flics, de l'ordre établi, d'un système entier qu'ils vomissent – et qui les ignore. De tout ce qu'ils ne sont pas et ne veulent pas être. La première bouffée qu'elle ne peut éviter, pourtant, est paralysante. Atroce, cette sensation de mourir.

Avec la gorge bloquée, la peur jaillit soudain, réelle et énorme. La charge a commencé, les premiers rangs refluent en masse vers eux, vague humaine qui déferle pour fuir la violence des premiers coups de matraque. Mais, comme le va-et-vient lunaire qui guide les marées, les hostilités changent de camps et se répondent : ils avancent, les autres reculent ; les autres avancent, ils reculent. En hurlements, en colère, en résistance.

Basile ramasse près d'eux une grenade fumante qui n'a pas encore éclaté, la lance vers la masse bleu marine, casquée. Elle explose au milieu des uniformes.

*

Ali, au début, elle était près de Jeanne. Elle n'a pas tout vu parce qu'il y avait tant de monde, plus qu'elle n'en avait jamais vu réuni d'un seul coup. Elle a l'impression que tout est allé très vite – mais la notion du temps, sur le champ de bataille, c'est toujours flou. Ils étaient tellement nombreux…

Évidemment, c'était dérisoire de vouloir affronter les puissants protégés par des hordes de CRS casqués. Mais ils avaient besoin de ça, besoin que ça sorte, et fort. Comme taper dans un mur qu'on ne peut plus longer en ignorant sa présence, son ombre insupportable, la lourdeur carcérale de ses parpaings. Il fallait qu'ils se battent. Que leurs corps éprouvent l'ennemi, s'y abîment. Leurs petits corps, ridiculement fragiles sous leurs jeans et leurs sweats ; leurs petites têtes éphémères sous les capuches, cagoules, foulards pro-Palestiniens. Ridicules, éphémères, dérisoires – grandioses.

Alison a très vite roulé au sol, bousculée par des épaules plus larges que les siennes. La matraque s'est abattue sur ses reins et après, tout a basculé, entre larmes et morve, poussière et douleur. Elle a essayé de se relever mais d'autres coups, encore, sont venus la meurtrir. Bien pire que tout ce qu'elle avait pu connaître en d'habituelles manifs qui finissent presque toujours en course folle. La répression était à la hauteur de leur rage, et de leur nombre. Elle a fait la morte – un réflexe de survie – alors les coups ont cessé. Une gorgée de sang, avalée avec sa salive, et sa langue a trouvé la dent cassée. Le sang, c'était sa lèvre, et ses gencives. Laissée sur place, en plein chaos. Piétinée par les siens, en déroute, en terreur.

Ah, ils faisaient moins les malins, maintenant, c'est sûr. Plus de posture, de morgue, d'insolence. Fini les yeux qui brillent et la vie en marche.

La répression, ça ressemble juste à une jeune fille de quarante-cinq kilos écrasée sous les bottes, et qui saigne.

Des mains ont agrippé Alison, plusieurs mains, et des cris d'encouragement dans une langue inconnue. Elle a ouvert les yeux, collés de larmes et de poussière. Les hurlements se répercutaient partout, dans des scènes de chaos qui ressemblaient à la guerre, la vraie. Soutenue par une fille dont elle n'a vu que l'iris rouge et strié par les gaz, elle a titubé jusqu'à une rue dans laquelle couraient des centaines de manifestants. Ils se sont engouffrés dans le hall d'un immeuble : certains habitants, solidaires, ouvraient leurs portes. Par petites poignées, toussant, pleurant, se soutenant les uns les autres, ils entraient dans les appartements. Ali a atterri au milieu d'un salon inconnu, séparée de ses amis et inquiète à l'idée de cracher du sang sur les boucles claires du tapis.

*

Les manifs qui dégénèrent, Lucie n'a jamais aimé ça. Moins de rage en elle que chez d'autres, peut-être. Ou la peur, tout simplement ? Rien d'excitant, vraiment, à se faire courser par la police. Elle n'a jamais douté qu'en face, ils seraient toujours les plus forts. Alors, quand la masse noire des révoltés a atteint le point de rupture, qu'elle a senti monter la déferlante, elle a tiré Jules sur le côté.

– On se casse, s'il te plaît…

C'était déjà trop tard. La violence des premiers affrontements était telle que personne n'aurait pu être épargné. Des rues adjacentes au cortège surgissaient déjà de nouveaux escadrons, aux consignes claires et brutales.

Lucie n'avait jamais vu ça. Jules non plus. Aucun d'entre eux n'avait assisté à un tel déferlement de haine. Comme si toute limite était abolie, comme s'ils étaient *réellement* dangereux et qu'il était nécessaire de les briser une fois pour toutes : insultes immondes, coups sans retenue. Haine palpable, évidente – mais surprenante par son intensité et sa démesure. *Ceux-là ne sont pas sexistes*, a pensé Lucie, voyant une femme tabassée, au sol, limogée par plusieurs bras armés.

Elle voulait pas morfler, Lucie. Elle avait pas de cagoule, non. Juste un foulard sur le nez, à cause des lacrymo. Et Jules… Jules aurait bien aimé pouvoir la protéger, mais comment ? Alors ils ont couru, comme Alison, mais dans une autre direction. Ils n'ont rien vu de ce qu'il s'est passé ensuite.

Quand les flics les ont cueillis et jetés comme des chiens à l'arrière d'un camion, ils ont presque été soulagés d'échapper ainsi au combat inégal, dehors. Les doigts agrippés aux grillages intérieurs, ils ont continué d'observer le carnage, jusqu'à ce que le camion, rempli jusqu'à la gueule de manifestants terrifiés, se mette à rouler en direction du commissariat.

Ils avaient déjà perdu Marc, Tonio, Jeanne et Basile, restés au cœur du chaos.

*

Essayer de calmer Marc aurait été comme jeter des verres d'alcool sur un brasier. Et personne, de toute façon, n'aurait songé à le faire. Marc était dans son élément, à hurler sa haine d'un monde éternellement inégalitaire, violent jusque dans ses inerties.

Enfin, de l'action. Enfin, des milliers d'autres qui flambaient avec lui, dans un défoulement exutoire. Un soulèvement populaire et une répression sauvage : pour une fois, être filmé par les caméras de surveillance ne le dérangeait pas. Au travers de sa rage, la peur de l'éparpillement pointait, dans cette ville inconnue.

L'instinct de meute lui soufflait de rassembler les siens. Mais s'il voyait distinctement la masse énervée de Tonio, qui le précédait dans le jet d'objets visant la police, il perdait parfois de vue Basile et Jeanne. Et il avait cessé depuis un moment de croiser le regard d'Alison, Lucie et Jules. Sur le bas-côté, des travaux inachevés offraient aux manifestants des caillasses et des morceaux de fer. Alors, conformes à l'imagerie révolutionnaire de tous les pays du monde, ils lançaient des cailloux sur les rangs serrés, pour se défendre, et pour se battre. Les cailloux ricochaient parfois sur les boucliers en plexiglas, mais touchaient aussi des bras ou des jambes moins protégés, provoquant une revanche de plus en plus violente. Lorsqu'un groupe de CRS attrapait un manifestant, ils le rouaient de coups jusqu'à ce que d'autres le tirent vers un des camions.

Ainsi, peu à peu, se clairsemaient les groupes qui refusaient encore une dispersion salutaire. Marc a vu l'un des leurs être pris, mais il n'a pas tout de suite reconnu Basile. Il a observé, comme les autres, cette forme noire et cagoulée battue à coups de pied et de matraque, à l'angle d'un trottoir. Il a vu, sans comprendre, la tête cogner contre le béton, encore, et encore, et encore.

Jusqu'à ce que le bonnet de Basile soit arraché et que les boucles jaillissent, sur son visage brisé. Jusqu'à ce que le cercle de jambes bleu marine s'ouvre un peu plus et que la forme s'avachisse, molle et sans vie.

*

Il y a vingt ans, Antonio était un géant. Fort, rieur, et sûr d'une chose : sa vie aurait la saveur que celle de ses parents n'avait pas eue. Il avait des amis, beaucoup, parce qu'il avait la générosité facile et le cœur offert à tous. Et des copines, parce qu'il était beau, jeune et souvent amoureux. La mère de son fils, il l'a aimée autant qu'on puisse, et s'il n'est pas fier d'avoir pris la fuite, il sait qu'il referait la même chose aujourd'hui. C'est comme ça. Il se souvient d'*elle*, et de ses mots crachés :

– T'es un lâche. Tu tiens à rien ni à personne.

C'est faux. Certaines lâchetés confinent à la survie, même si elles rongent une vie entière. Rongé, abîmé, oui, mais Tonio est toujours debout, en lutte pour que sa vie n'ait pas le goût rance de la sueur, du sacrifice et de l'humiliation. Et il a toujours des amis, la générosité facile et le cœur ouvert à tous.

Lorsqu'il voit le corps de Basile tomber sous les coups, son cœur accélère, le sang pulse dans son cou comme la haine, comme la peur. Lorsqu'il comprend que c'est vraiment fini, que Basile est mort – parce que ses yeux sont fixes et que le sang sort de sa bouche –, Tonio se met à hurler. Son corps entier passe soudain dans sa gorge pour vomir ce long rugissement de détresse qui fait tourner toutes les têtes sauf celle de Jeanne, figée pour un siècle de souffrances. Elle est accroupie près de Basile, les mains de chaque côté de son visage. Un peu de sang tiède coule entre ses doigts, qu'elle porte à sa bouche. Le cri de Tonio accompagne son geste, un cri qui enfle comme s'il ne devait jamais s'arrêter.

C'est comme ça qu'ils comprennent, les autres – la foule, la poignée : en voyant le géant rouge hurler au-dessus du corps inerte de son copain.

Un caméraman galope, dans le sillage d'un journaliste qui braille, surexcité :

– Filme, putain ! Ils l'ont buté ! Le gamin… Cadre sur le gamin !

RÉVEIL IMMONDE

Le dessin des branches, en ombres sur le drap. Ce silence mou, frais comme les bois qu'elle devine par la fenêtre ; le haut des arbres, du moins. Ils bougent doucement dans son œil fixe. Elle s'astreint au vide. Encore. Et encore.

Et encore.

Jeanne hurle en gargouillis ignobles.

Son père ne dit rien. Il voudrait gober sa souffrance pour qu'elle s'apaise. Jeanne voit ses yeux fous de douleur, fous de la douleur de sa fille. Il voudrait dire mais renonce. Il ne survole plus, il ne rêvasse pas, cette fois. Il bouffe du réel jusqu'à l'insupportable. Elle s'accroche à lui, solide comme un arbre mais impuissant. Assis au bord de son lit d'adolescente, il la serre comme une toute petite fille et tente, avec ses grands bras, d'apaiser sa douleur de femme. Au bout d'un long moment, ivre d'épuisement et de cris, bercée par son père, elle s'endort.

Quand elle se réveille, la douleur dans son ventre irradie tout. Elle se rendort. Chaque réveil est un rappel, chaque réveil lui broie le cœur. Elle est seule, toute seule. Jamais elle n'a été aussi seule. Chaque fois qu'elle pense à Basile, son corps entier est secoué de spasmes glacés, comme si manque et anticipation du manque à venir se mêlaient en une torture sournoise. Elle ne pense plus ; son corps parle à sa place, en boule, muscles raides, dents serrées jusqu'à avoir mal aux joues.

Elle repasse le film dans sa tête et refuse. Fixe les murs de sa chambre d'adolescente, les affiches, les photos. Un paysage lunaire. Gena Rowlands en folle magnifique, les mains en coupe dans *Une femme sous influence*. Jeanne ne reconnaît rien ; les coups de rangers et les hurlements de la manifestation emplissent tout l'espace.

Plusieurs jours, maintenant, qu'elle alterne des sommeils agités et des réveils immondes.

Elle ouvre un œil. Enflé, lent à faire le point. Coin du bureau. Feuilles qui s'agitent, ombres noires sur un ciel bleu sombre. Presque la nuit. Rien à vomir. Elle laisse son bras pendre hors du lit jusqu'à sentir le sang descendre tout au bout de ses doigts. Ramène lentement cette main devant ses yeux, pense aux bouts de peau qu'elle a caressés, chair douce, sexe dur, torse, épaules, piquant des joues mal rasées…

Déchirure du sternum : elle s'étonne d'avoir encore des larmes. Geint, doucement, pour que son père ne l'entende pas.

Plus jamais

La porte s'ouvre. Elle garde les paupières serrées, visage dans l'oreiller.

La voix de sa mère, en chuchotis :

– Elle dort depuis longtemps ?

Celle de son père, brisée :

– Elle se réveille parfois, mais c'est pire. Et puis elle ne dit rien. Dormir, c'est pas si mal.

Jeanne n'ouvre pas les yeux, les laisse refermer la porte sur elle ; les imagine causant dans l'escalier, pour la première fois depuis des années, buvant un verre au salon, se racontant l'histoire, atterrés eux aussi mais plus inquiets que tristes.

Pas dévastés. Pas déchirés, anéantis, pas saccagés.

Elle sait à peine comment ils sont rentrés, *après*. Les arrestations ont été si nombreuses que la plupart des interpellés ont été relâchés le lendemain, avec des casiers rouges de nouvelles traces indélébiles. Jules et Lucie en faisaient partie. D'autres, déjà connus des services de police, ont été incarcérés, attendent leur procès.

Jeanne ne veut voir personne. Parce que personne ne peut comprendre l'ampleur de ce qu'elle a perdu, personne n'a envie de crever comme elle, juste pour ne plus avoir mal.

Ce qui n'existera plus : son rire doux et complice quand elle raconte un truc drôle aux copains, les rues du centre-ville ivres d'alcool et du reste, courant à moitié, s'embrassant contre les murs, l'électricité dans tout le corps, la pensée bloquée sur le *maintenant*, le *demain* possible et merveilleux.

Plus de *demain*.

Jamais plus les films matés en boule dans le canapé rouge, le désir de se faire découvrir des choses, d'en découvrir de nouvelles ensemble.

Jamais plus la came stupéfiante de son regard qui la collait en lévitation, les fragments d'histoires, les fausses engueulades pour mieux s'aimer ensuite, et puis l'amour.

Rencontrer Basile, c'était comme si on lui avait rendu quelque chose qu'elle avait perdu.

*

Réveillée au milieu de la nuit, au bord du hurlement : Jeanne a rêvé de Basile, en décomposition. Fouillant la terre humide, ses mains ont rencontré son pull – le gris sombre, boutons sur l'épaule. Elle a creusé la terre autour, l'a retournée, mangée. Terre humide, froide, mélangée aux brindilles et aux feuilles. Elle a creusé la terre en sachant qu'il s'agissait d'une tombe, une toute petite tombe, et elle enfournait des poignées de terre dans sa bouche. Elle a mâché la terre, l'a avalée : un goût infect, mais impossible d'arrêter.

À genoux, personne avec elle, mais elle savait qu'*il* était là. Et puis ses mains ont rencontré le corps, mort, en décomposition. Et elle en a mangé un morceau, mélangé à la terre mouillée.

LE SANG DES COPAINS

La cérémonie a lieu sans Jeanne. Une centaine de personnes, et bien plus de policiers pour encadrer la colère et les *risques de violences*. Le gouvernement a essayé d'endiguer la manifestation, d'interdire le regroupement. Mais c'est un enterrement : comment empêcher les gens de s'y rendre ? La foule est circonscrite entre les files de camions bleu marine. La foule pleure, masse aveugle et chairs à vif.

Mêlés ensemble : amis, famille, militants, civils infiltrés. La maman de Basile marche derrière le camion rempli de fleurs, posées sur le cercueil. La présence policière irrite chaque marcheur, chaque pleureur. Comme une énorme provocation qui ne ferait rire personne.

Ils sont cinq : le sixième est dans la boîte brune, la septième en chien de fusil au fond d'un lit. Amputé, le petit groupe se resserre et avance, tête baissée, derrière la mère de Basile.

Du camion funéraire à la tombe, il y a ces cinquante mètres à parcourir, cercueil sur l'épaule. Marc, Tonio, Jules et un cousin de Basile s'en chargent, mâchoires serrées, corps tendus. La peur du faux pas, l'inacceptable sensation de légèreté. Ils se concentrent pour marcher au même rythme. Ils ne pensent à rien, leurs pensées bloquées sur le bout de leurs chaussures, sur la terre retournée autour du grand trou noir.

Après il n'y a rien, la mère de Basile n'a pas eu le courage de préparer quoi que ce soit, et l'enterrement n'est pas religieux. Il y a juste un grand et long silence, des reniflements, des sanglots étouffés. Dans le silence du recueillement, deux types costauds descendent le cercueil à l'aide de cordes. La main d'Alison vient se glisser dans celle de Marc, ongles rouges sur chat noir. Pendant que la terre recouvre tout jusqu'à s'aplanir, personne ne bouge.

Après, les gens viennent, un à un, poser des fleurs. Certains embrassent la mère de Basile, d'autres lui font juste un signe de la tête, compatissants. Elle reste figée, le regard vide, recroquevillée à l'intérieur de son corps et les mains agrippées aux plis de sa robe, sur son ventre. Elle ne pleure pas. Un couple s'approche d'elle. La cinquantaine brillante, ils détonent au milieu des proches de Basile : leurs fringues à elles seules sont un aveu de supériorité sociale, une illustration parfaite de la différence de classes. Ils la saluent, soufflent quelques mots de réconfort. Et se tournent vers Marc. La femme lui sourit douloureusement :

– Marc, mon chéri, je suis tellement désolée pour ton ami...

La main de Marc broie celle d'Alison. Il salue ses parents sans chaleur. Ne présente personne à personne ; ses parents ne s'attardent pas. Ils s'éloignent doucement, la mère tournant la tête en une grimace douloureuse vers son fils et le gouffre qui les sépare.

Et puis il y a cet instant suspendu de l'*après*, lorsque tout est fini et ne fait que commencer. L'ellipse qui n'existe pas dans la vraie vie : le moment où chacun repart vers sa voiture, marche entre les allées, pleure d'autres morts qui sont morts une seconde fois le temps d'enterrer celui-là. Dans cet instant étrange et flottant où chacun espère échapper à quelque chose, Alison se met à chanter. D'une voix douce et émue, elle entonne les premiers mots de *La butte rouge*. Personne ne l'accompagne dans sa chanson, pas même les copains, trop noués, muets. Elle ne chante pas pour haranguer une foule en colère, mais pour Jeanne, pour Basile. Pour sa mère. Pour les copains.

Chacun interrompt sa marche, se retourne au milieu des allées. Plusieurs caméras la filment. Les chaînes de télévision relaient l'information, calent dans leur viseur l'improbable jeunesse de cette jolie fille qui ose, tremblante d'émotion, chanter seule pour la mort de son ami. Ses cheveux noirs volent dans le vent de mai. Elle porte des Doc montantes sur ses jambes maigres, et une robe rouge. Quand sa voix s'élève un peu plus fort, elle fait taire jusqu'aux moteurs des camions de CRS. Sur toutes les télévisions de France, son visage apparaît, sillonné de larmes. Sa voix, hachurée par la tension et les tremblements, chante un dernier hommage :

La butte rouge, c'est son nom, l'baptème s'fit un matin
Où tous ceux qui grimpèrent roulèrent dans le ravin
Aujourd'hui y a des vignes, il y pousse du raisin
Qui boira d'ce vin-là... boira l'sang des copains !

Le silence, après, lorsqu'elle baisse la tête et que ses épaules tressaillent sous les sanglots. Chacun attend la suite, mais rien ne viendra.

NOUVELLES DU FRONT

Ali entre dans la chambre comme une petite tornade, se jette sur le lit et enlace son amie.

– Oh, Jeanne… Jeanne !

Elle la serre, caresse ses cheveux. Son parfum à la violette secoue Jeanne ; un filet de joie lui revient, l'oblige à parler.

– Je suis contente de te voir, toi.

Alison lâche Jeanne, la considère sérieusement, creuse du regard, essaie d'évaluer les dégâts. Mais elle ne peut pas.

– J'ai de mauvaises nouvelles.

Jeanne sourit, amère et amusée.

– Vas-y, au point où j'en suis…

Elle hésite. Pourtant, Jeanne se sent déjà moins mal : voir Ali, avec son énergie électrique, la retape mieux que tous ces jours de sommeil douloureux. Même la *mauvaise nouvelle* ne l'inquiète pas. Elle insiste :

– Vas-y, je te jure, je suis forte, tu sais bien.

Ça la fait sourire. Un peu.

– Le squat… On va se faire virer, on a reçu un ordre d'expulsion.

– Fallait s'y attendre…

– On doit quitter les lieux à la fin du mois prochain. On a visiblement bénéficié d'une certaine… clémence, à cause de ce qui s'est passé. Les médias ont su, l'avocat s'en est servi. On gagne un peu de temps, quoi.

Jeanne ne dit rien. Elle visualise la maison, sa chambre – devenue leur – et les autres pièces, se fait violence pour flouter les images, sources de chagrin.

– Vous videz tout ?

– Pas encore. On cherche un autre lieu, d'abord. Marc a repéré quelque chose, une maison vide.

– Où ça ?

– Dans le même quartier que leur ancien squat, tu te souviens ?

Alison soupire.

– J'ai autre chose à te dire…

– Vas-y.

– Sa mère est venue au squat. Elle a récupéré toutes ses affaires.

Jeanne hausse les épaules.

– C'est pas grave.

– T'es sûre ?

Les petites mains d'Ali farfouillent dans son sac.

– J'ai sauvé ça.

Son pull. Le gris. Elle le pose devant elle, sur les genoux de Jeanne. Qui ne le touche pas. Le silence dure jusqu'au chuchotement de son père, sur le pas de la porte :

– Le café est prêt. Je vous monte deux tasses ?

– Je vais descendre le boire avec vous, répond Alison.

Ses mains tremblent comme sur la première tasse de café, celle qu'elle buvait en même temps que les mots de Basile, ce vieux matin merveilleux. Jeanne touche d'abord les boutons, sur l'*épaule*. Elle s'abîme la pulpe des doigts en les serrant un à un, ces boutons. Les défait. Se retient, résiste. Mais c'est tout simplement impossible : elle plonge son visage dans la laine odorante, respire comme on reprend son souffle. Alors Basile est là, soudain, vivant et riant. Elle le voit avec une précision folle, le grain de sa peau à la commissure des yeux, sa pomme d'Adam en plein rire, ses mains qui remontent son col. Elle le voit enlever son pull, et le remettre aussi. Elle ressent sa poitrine sous son front, appuyée contre lui. Le manque irradie toute autre forme d'émotion. Elle devient le manque : un trou béant.

*

D'autres jours sont passés. Combien ? Elle n'en a aucune idée, ça n'a aucune importance. Son père lui sourit, pose une tasse de café sur la table de nuit et repart. Il a laissé traîner des bouquins près du lit, comme un filon d'or qu'il imagine salvateur. Sa façon à lui de tendre des perches entre elle et la vie. Elle a envie de les déchirer, ces livres. Envie de les insulter comme des humains, pour leur dire, justement, qu'ils ne le sont pas. Qu'aucune langue, si sublime soit-elle, ne pourra lui faire oublier celle de Basile. Chaude et douce et audacieuse. Qu'aucune aventure ne saura égaler celle de sa rencontre avec lui.

Elle repense aux matins, et l'odeur lui revient, la sensation des doigts posés sur la peau, lissant, glissant. Elle le revoit entre les feuilles, accroupi dans le jardin, écoutant sans comprendre les conseils de Jules ; le froid rougit ses joues, son sourire capte la lumière. Ses mains en coupe autour de celles de Jeanne pour l'aider à allumer une clope : elle discerne clairement les contours de son visage, de ses cheveux fous – et soudain, elle entend sa voix. Pour la première fois depuis des semaines, un début de sourire craquelle ses lèvres gercées. En même temps que de nouvelles larmes montent. Elle serre le pull contre elle, accroche ses doigts dans les mailles.

*

Jeanne pose ses pieds nus sur le parquet, observe ses orteils sur le bois. Elle se hisse plus qu'elle ne se lève, une main agrippée au bureau. Ses jambes tremblent comme celles d'un poulain après une course folle.

La fenêtre ! Marcher jusqu'à la fenêtre. Ouvrir, respirer, sentir la chaleur – les nuances, tiens. L'été est arrivé sans qu'elle le réalise, éclatant de lumière jaune, coassements de grenouilles, crissements d'insectes gourmands. En ouvrant la fenêtre, en cette fin d'après-midi, elle se souvient de la course du temps. Du rythme des saisons. Les couleurs la percutent : un ciel plutôt lisse mais du bleu, et quelques verts.

Frissonnante, elle referme, titube jusqu'au lit. Du pied, elle bute contre la tranche d'un livre. Elle le jette loin d'elle, rageuse, sautille en tenant son orteil, grimace de douleur comme une enfant, et puis se recouche. Elle cherche la chaleur, le creux du lit pour faire boule, blottie contre le rien. Dans la solitude qu'elle aimait bien, avant, elle est devenue moitié. À l'heure où les filles de son âge découvrent la fin de l'amour dans l'amertume d'un *pas assez* décevant, elle s'abîme sur l'image arrêtée au beau fixe, au faîte du désir.

Son front touche ses genoux, son dos s'arque dans l'improbable espoir de protéger encore quelque chose, au centre.

UNE RESPIRATION

Jules sent chaque muscle de ses jambes le tirailler tandis qu'il monte, régulier et concentré, vers les sommets. Les moutons agglutinés autour de lui font un tapis de laine sale. Les bergers le devancent, et cette solitude lui convient.

Ils ont accepté que Jules les accompagne. Ils ne se parlent que le soir, et leurs échanges se limitent à une forme d'*essentiel* qui n'est pas celui dont il a l'habitude : les bêtes, le repas, la température, la route parcourue et celle qu'il reste à faire, les chemins à prendre, les détours liés aux intempéries. Chacun replie sur soi ses états d'âme et son histoire.

Des états d'âme, Jules en a, c'est sûr. Des questions, des colères, et l'immense tristesse d'avoir perdu son ami, de ne pas avoir su être là pour éviter le pire. Il repense sans cesse à ces moments terribles, au commissariat, où des dizaines de militants ont été parqués, interrogés, rudoyés. Il se souvient de Lucie et de ses larmes, les flics imperturbables qui ne l'ont même pas laissée aller aux toilettes, son jean taché de sang. Des heures à ne pas savoir, insultés par les flics.

Et puis cette info, reprise et éparpillée : *Il y a eu un mort*. Le mot passait de cellule en cellule, relayé sur Facebook, le cliquetis des touches sur tous les portables que les flics n'avaient pas eu le temps de récupérer, les cris effarés, les sanglots nerveux.

C'est seulement après, libérés par vagues comme les morceaux d'un même troupeau, qu'ils ont su de qui il s'agissait. Et Jules n'en revient toujours pas. L'absence de Basile n'a pas encore pris forme. Elle a résonné dans l'habitacle du camion lorsqu'ils ont foncé en sens inverse pour amener Jeanne chez son père : ils n'ont rien trouvé d'autre à faire face à sa détresse, au vide stupide dans ses iris écarlates. Ils sont redevenus fragiles, impuissants comme des enfants, et l'ont rendue à qui saurait s'en occuper mieux qu'eux. Ils avaient peur. Marc fonçait comme un malade sur cette autoroute qu'ils avaient prise avec tant de joie vingt-quatre heures plus tôt. Tonio s'écorchait les poings contre la portière, et dans le plastique de la boîte à gants. Le sang, aux jointures, semblait l'apaiser. La radio ne marchait pas, alors Alison surveillait sur son portable le jaillissement de toute nouvelle information. Et le pied de Marc ne lâchait pas l'accélérateur tandis qu'il marmonnait pour lui seul les mots qu'il allait devoir dire à la mère de Basile. Répétition, correction, les mots justes pour raconter l'histoire, avant que la presse ne dégueule ses fausses informations, ne compose un grand spectacle avec les bribes d'une tragédie.

Un mouton au nez noir lève la tête vers Jules. Son bêlement idiot résonne avec d'autres. Jules respire, régule son souffle dans les côtes, ouvre son regard vers les montagnes bleues.

Et après ?

Lucie l'a laissé partir, sans réaction. Ils étaient tous bouleversés, de toute façon. Elle devait retourner bosser, elle allait s'y tenir, parce que les horaires, tout ça, c'est une bonne façon de rester debout quand les genoux flanchent.

Quand ils sont rentrés, en file indienne, tête basse et dents serrées, le squat leur a paru sale, triste et vide. Il l'était.

Dans la boîte aux lettres : une mise en demeure, l'avis d'expulsion.

Le cri d'un rapace lui fait lever le nez. L'oiseau décrit un cercle et plonge en piqué – une ligne sombre qui fige le cœur de Jules. Il s'arrête de respirer, jusqu'à voir remonter le rapace, belette ou rat entre ses serres. La petite bête gigote, s'agite en altitude et puis plus du tout, la nuque brisée par l'oiseau. Alors seulement, Jules souffle, vide ses poumons et ferme les yeux.

Chez lui. C'est chez lui, un peu, ces montagnes crénelées, cernées de mauve. Mais pas vraiment non plus. Il espérait une révélation, une évidence qui l'aiderait à savoir, une impression magique qui inscrirait sa marque en lui. Rien de tout ça. Un soulagement, oui ; des émotions, des odeurs qui l'émeuvent aux larmes, mais pas de Vérité. La fatigue est là, le silence aussi. Chez lui, c'est là où il sera, et il ne sait pas très bien encore où il veut aller.

Des manifs, lancées un peu partout en France pour dénoncer les violences policières, ont provoqué de nouvelles violences policières. Cercle vicieux, huilé, immonde. Jules n'y est pas allé. Il a choisi de marcher, de s'exténuer sur les sentiers, passer par l'intérieur pour supporter à nouveau l'en dehors.

Et après ?

Après, il rentrera, un peu apaisé par cette pause, cet écart au cœur des montagnes. Au moins, ici, il n'est pas obligé de parler – ni des événements ni de son chagrin. Il pense aux autres malgré son pas de côté, sa fuite pour ne pas affronter la tristesse collective. L'enterrement lui a suffi. Plus, il ne pouvait pas ; il lui fallait une respiration.

Jules aimerait savourer pleinement la route des bêtes, la montée vers les cols, son corps entier qui souffre d'une fatigue délicieuse, mais quelque chose s'est brisé. Il se retape, prend des forces, mais l'émerveillement s'est perdu sur un trottoir, dans une foule en colère, sur les bancs dégueulasses d'un commissariat. Dans le vide des yeux de Jeanne.

Et après ?

Comment faire, après ?

PÔLE EMPLOI ENCORE

Ça commence toujours de la même façon. Mais pas cette fois-ci. Parce que quand Tonio pousse la porte, il titube et sourit comme un con. Tonio n'est pas con, mais il est bourré. Complètement imbibé, des orteils à la racine des cheveux ; seule bonne raison de sourire en cette matinée chaude et triste dans les locaux de Pôle Emploi. Il attend son tour sans s'asseoir sur les chaises en plastique bleu roi. Il colle son nez aux affiches et les déchiffre une à une :

Besoin de conseils et d'exercices pratiques ?
Participez à l'atelier avec l'appui d'un animateur !
Renseignez-vous auprès d'un conseiller !

18e édition du carrefour des métiers :
l'occasion de rencontrer plus de 100 entreprises
qui embauchent !

Il n'y a pas d'âge pour créer sa boîte !
Devenez chef d'entreprise !

Les points d'exclamation, surtout, l'amusent particulièrement. Comme une fête, une invitation à la joie.

– Monsieur ?

Tonio se retourne. La jeune femme, à l'accueil, lui fait signe d'approcher.

– Oui ?

– C'est votre tour, je pense. Vous avez rendez-vous ?

– Non.

– Ah. Alors je ne peux rien faire pour vous.

Ce n'est pas la même femme que la dernière fois. Tonio se penche jusqu'à ce que son front touche le verre qui les sépare.

– Vous aimez votre boulot, Mademoiselle ?

Une ombre de sourire sur le visage de la jeune femme, blafard mais joli.

– J'ai un boulot, elle répond. Si vous voulez un rendez-vous, il faut…

– Téléphoner, oui, je sais.

Elle le scrute, entre étonnement et habitude, hésite entre chaleur et rigidité. Il reprend, lourd comme un quinquagénaire bourré :

– Et pour un rendez-vous avec vous, il faut téléphoner, aussi ?

Elle choisit la rigidité.

– Si vous n'avez pas rendez-vous et rien d'autre à me demander, je vous propose de sortir, Monsieur. Mais si vous voulez un rendez-vous avec un conseiller Pôle Emploi…

– Je veux *rien*, tu comprends ? Rien.

– Pardon ?

– Je veux *rien*. Rien de toi, rien de vous – il fait un geste du bras, main ouverte, pour englober l'espace de l'agence entière –, rien de cette merde. Je veux rien.

Elle le dévisage, un peu inquiète. Elle n'est pas en poste depuis longtemps et n'a encore jamais eu affaire à des clients violents, ou ivres. Elle a encore envie d'être gentille, rassurante peut-être ; servir à quelque chose. Tonio recule un peu, le regard flou toujours posé sur elle. Il tremble, ses gros poings serrés sur le comptoir.

– Je vous emmerde ! Je vous emmerde tous, bande de connards ! Et tu les sens, les points d'exclamation ?! Tu les entends ? Toi aussi, je t'emmerde !!! T'es jolie et tu fais juste ton boulot, mais je t'emmerde !

La fille s'affole à l'intérieur, même si elle tente de garder une contenance figée, professionnelle.

– Monsieur, s'il vous plaît…

– Ta gueule !

– Je vais devoir appeler la sécurité.

– Vas-y, appelle !

Tonio s'accroche au comptoir de ses deux mains, il prend son élan et fonce, tête en avant, contre le verre. Elle hurle au moment où Tonio éclate son front sur la paroi, de toute sa violence – une, deux, trois fois, jusqu'au sang. Le son est à la fois mou et brutal. La jeune femme tient sa bouche à deux mains, les yeux terrifiés.

Tonio se redresse, la toise et recule. Une trace rouge les sépare, étalée sur le verre.

– Vas-y, appelle la sécurité, fais-le, qu'on rigole…

Il se détourne et marche lentement vers la sortie, dévisage les autres, assis ou debout.

– Couchés ! crie Tonio à leur intention, la gueule en sang, avant de franchir la porte.

Une fois dehors, il s'écroule sur le trottoir et se met, enfin, à pleurer.

RÉSURRECTION

Son père ouvre la fenêtre. Elle tremble et s'enfonce un peu plus sous la couette.

– Debout, Jeanne.

– Quoi ?

– Lève-toi et viens m'aider à la cuisine.

La voix est douce mais le ton ferme.

– Je peux pas.

Il traverse la chambre en boitant, sans la regarder, passe la porte.

– Je t'attends en bas.

Jeanne enfile un vieux bas de survêtement, le pull de Basile à même la peau malgré la chaleur, descends les escaliers comme un zombie, marche jusqu'à la cuisine. Son père est en train de couper de l'ail sur une planche en bois. L'odeur des poivrons qui grillent au four a envahi l'espace. Il fait un geste du menton vers la boule de pâte écrue posée près de lui.

– Faut la travailler, sinon elle montera jamais. Lave-toi les mains. Tu peux ajouter un jaune d'œuf ?

Jeanne grogne un vague *oui* en faisant mousser le savon sous le robinet. Elle attaque. Malaxe, incorpore, et malaxe encore. La pâte suit le mouvement de ses paumes ; ses mains se transforment, deviennent instrument et matière – elles connaissent la musique. Elle appuie, tire, retourne : les muscles de ses bras se tendent. Elle ne pense à rien, juste à ce morceau de nourriture qui change de forme sous la pression de ses doigts. Elle lève légèrement la tête pour voir ce que fait son père. Les paumes imbriquées dans les poignées en bois lisse, il tranche l'ail avec la lame en lune, à petits coups de balancier aiguisé. L'odeur se fait plus forte. Elle sort les poivrons du four, regarde encore son père, cet homme qui veille sur elle depuis toujours, dévoré par l'angoisse de la savoir malheureuse. Il cuisine pour elle, et pour apaiser sa peur, être vivant, donner du sens aux gestes. Jeanne essaie de faire pareil.

*

C'est la nuit. Elle ne pleure pas, ne geint pas, ne serre pas les dents. Elle regarde la nuit depuis son lit, la danse des feuilles sous le vent. Écoute son cœur, son ventre ; respire calmement. *Après la mort de mon mari, en Casamance.* Basile et elle ont eu six mois, dix en comptant ceux de l'attente, de l'amitié fébrile, des suppositions.

Plus jamais : les mots, à force de répétition, perdent leur brutalité. La déchirure est encore béante mais se soigne malgré elle. La colère, comme une confirmation de légitimité.

UNE RÉFLEXION DE TROP

– Vous êtes sûr de ce que vous dites ? demande Lucie.

– Je ne vous promets rien. Tout dépend du juge qui traitera l'affaire, et pour l'instant je ne sais pas qui ce sera. Je pense pouvoir tirer encore un mois. Après, il faudra partir…

L'avocat sourit à la jeune fille. Il passe une main sur son visage fatigué. Plusieurs semaines qu'il bataille contre l'administration judiciaire pour éviter l'expulsion des squatteurs. Plusieurs semaines qu'il passe beaucoup de soirées dans le bar où Lucie travaille… Pour lui expliquer la marche à suivre, les détails, les prudences à avoir. La regarder servir les demi, ramener ses cheveux sur le côté et les tresser à la va-vite.

– Si on gagne un peu de temps, c'est déjà bien. Merci.

– C'est normal, et puis je me suis spécialisé dans ce genre d'affaires.

Lucie grimace un sourire, ça carbure dans sa tête. Depuis qu'elle connaît ce type-là, elle doute à nouveau de ses choix, et puis ce taf de serveuse…

En écho à ses réflexions, la voix du patron résonne :

– Il consomme autre chose, le monsieur ?

Penché au-dessus d'eux, l'œil insistant. Bras croisés, bite en avant. Jambes légèrement écartées, la bascule du bassin censée impressionner l'adversaire.

Mais l'adversaire s'en fout, le regarde à peine tant il peine à lâcher le bleu pâle des yeux de Lucie.

– Un demi, oui, merci.

– Hé ben il va pas venir tout seul, le demi, hein. Tout seul sur ses petites papattes…

L'avocat lève les yeux, agacé. Ne comprend pas. Lucie, elle, a compris le message et se lève en soupirant, repasse derrière le comptoir. Quand l'avocat comprend sa gaffe, qu'il réalise que Lucie s'agite en gestes experts pour lui servir son demi, il vient se coller au comptoir d'un air coupable.

– Je suis désolé, j'avais pas compris que c'est vous qui alliez devoir me servir, du coup.

– Vous voyez une autre serveuse ?

– Non, mais j'ai toujours du mal à réaliser que vous avez choisi de planter vos études pour…

Elle le défie du regard, mais ça ne tient pas – même elle a du mal à comprendre son choix, alors…

– Pour ?

– Bosser ici.

– Oui. Je sais, c'est bizarre.

– Vous savez, c'est vrai que c'est un drôle de milieu, le Droit, mais il y a quand même moyen de faire un chemin… différent.

Elle lève un sourcil, dubitative.

Pose le demi sur le comptoir.

Le patron s'est approché sans qu'elle l'ait vu arriver.

– Y a des clients qui sont arrivés, là. En terrasse. Je te paie pas pour que tu bavasses.

Lucie sent la brûlure remonter, entre colère et honte. Elle ne s'énerve pas, parce que ça, elle ne sait toujours pas le faire – on ne peut pas *tout* changer d'un seul coup. Mais elle prend la remarque du patron comme un signal. La grande manif, la mort de Basile, la garde à vue l'ont laissée sonnée, mais ont aussi révélé une chose qu'elle ne savait pas : Lucie est beaucoup plus forte qu'elle ne le pensait. Elle met du temps à réagir, mais quand elle déclenche, sa volonté est dure comme celle de son père lorsqu'il va gagner un procès. Les mêmes moyens, pas les même fins.

Elle fait couler la bière dans un verre, comme une commande qui viendrait de surgir. Et puis elle le vide sur le patron – le lui jette à la gueule, plus exactement. De son menton à ses chaussures, la mousse odorante se répand. Il émet un hoquet de surprise silencieuse, écarquille les yeux sur la tache collante qui coule jusqu'à son entrejambe. Avant même qu'il ait pu dire quoi que ce soit, Lucie lâche, très calmement :

– Va te faire foutre, connard.

Elle récupère son sac, passe de l'autre côté du comptoir et se dirige vers la sortie. L'avocat la suit, médusé. L'autre dégouline de bière. Il éructe, dans un sursaut d'orgueil bafoué :

– Tu remets plus les pieds ici, espèce de...

Elle ne lui laisse pas le temps de trouver la bonne insulte :

– Ça risque pas d'arriver. Sauf peut-être avec des copains, pour te faire la caisse.

Lucie attrape le bras de l'avocat et l'entraîne derrière elle, passe la porte avec un rire de joie qui lui chatouille les amygdales.

Puis elle se tourne vers le jeune homme, qui s'accroche à son bras en la bouffant des yeux :

– Écoute, coucher ensemble ça va pas être possible, désolée. T'es chouette et tout, mais j'ai pas envie. Mais tu vas m'expliquer comment on fait du Droit sans devenir une crevure, tu vas me refiler tes contacts, et si je galère pour retaper mon année, tu vas m'aider. D'accord ?

L'autre grimace un demi-sourire, déçu mais estomaqué, aussi, et comme il n'a pas vraiment le choix – à moins de passer lui aussi pour un connard –, il chuchote :

– D'accord.

SOUS LA PEAU

L'aiguille s'enfonce légèrement sous la peau. Marc regarde sans ciller l'encre imbiber doucement la chair de sa main droite. La gauche serre le fauteuil, blanchie aux plis des phalanges, et le chat se dresse sur ses pattes. L'aiguille picore comme un bec, mais à toute vitesse. Le dessin se précise, lettres et chiffres en noir, des pleins et déliés sur le réseau veineux de sa peau blanche. Une simple date.

— Un truc à pas oublier ? demande le tatoueur.

— Non. Même si je voulais, je pourrais pas. Oublier, je veux dire.

— C'est moi qui t'ai fait le chat sur l'autre main. Je m'en souviens.

— Ouais, moi aussi.

— Et la date, alors ?

— Pas envie d'en parler.

Marc serre les dents, les yeux, le poing gauche. Bascule la tête en arrière.

Le mec se tait, habitué aux excentricités. Il respecte les mystères qu'on expose comme des cicatrices – lui-même en est couvert : du cou aux chevilles, mille histoires courent sur sa carapace illustrée.

Une date. Marc aimerait que la douleur provoque quelque chose, parce qu'il ne ressent rien. *Rien*. Il aimerait sentir *quelque chose* avant de devenir fou. Il prendrait n'importe quoi : un halètement sauvage dans son cou, une déclaration d'amour, un poing dans sa gueule, un ongle arraché, une main sur sa bite, une lame qui tranche l'œil. Un truc qui le ramène aux vivants.

– Ça va, mec ? Tu supportes ?

– Vas-y. Charcute, et fais ça bien.

Une date. Parce qu'il y a eu un avant et qu'il y aura un après. Pour l'instant, Marc est au milieu – un peu mort, comme son ami.

SANS LA NOMMER

– Les corps, c'est des courbes, du mouvement ! Je me fous de la ressemblance. Si vos dessins sont une copie du modèle, c'est que vous faites de la merde. C'est compris ?

Le prof ne se penche pas sur les esquisses des étudiants, il bascule, buste en avant, comme un danseur contemporain, en une gestuelle étudiée.

Alison est nue, ramassée sur sa maigreur, mains croisées derrière la nuque, tête penchée entre les genoux. Au centre de la pièce, elle pose pour la première fois dans un cours des Beaux-Arts, un des derniers de l'année. Une façon d'entrer par la petite porte et de payer son droit à passer de l'autre côté, quand le moment sera venu. Ça tire dans son dos, des petits muscles inconnus se contractent, et l'immobilité l'entraîne très loin en pensées décousues.

Jeanne lui manque. Basile aussi. Sa mort a entraîné l'éparpillement du groupe – momentané, certes, mais douloureux. Un éclatement sourd qui les empêche de parler vraiment, même si la dépendance aux autres est devenue tenace. Encore plus qu'avant. Liés, entremêlés, la force du lien tissée dans l'amour, nouée dans la colère et l'incompréhension, la conscience. *Résistance, vie, mort, avenir.*

Ali laisse les mots filer et s'inscrire, se déliter en ronde plus ou moins cohérente. C'est Pablo, en deuxième année aux Beaux Arts, qui l'a branchée sur le plan, pour les poses. C'est pas hyper bien payé mais c'est déjà ça, et puis ça ne la dérange pas, la nudité exposée. Elle a toujours mis de la distance entre elle et l'enveloppe, alors elle veut bien, le temps d'une pose, être objet, support, courbes anguleuses. Même la présence de Pablo, qui n'est plus son amant mais l'a été, lui est indifférent. Jeanne lui manque, et seul Marc semble comprendre. Marc et sa fureur. Marc dont la résistance se ferait haine, si Alison n'était pas là pour l'apaiser un peu. L'aider à être triste. Tous les deux, ils ne ressemblent en rien à Basile et Jeanne : pas d'évidence, d'étincelle et de promesses silencieuses. Juste deux solitudes qui se cognent et se mêlent, se font du bien, réparent le mal. Mais de ce que connaît Alison, c'est ce qui se rapproche le plus de l'amour.

Le prof frappe dans ses mains pour signifier la fin de la séance. Il s'attarde près du bureau d'un étudiant, grommelle son approbation, conseille vaguement. Ali se rhabille vite, pressée ; Marc doit l'attendre.

Quand elle le repère, au milieu des étudiants, elle accélère malgré elle, aimantée par sa posture martiale, son regard glissant sur les cartons à dessins, cherchant son visage à elle parmi les dizaines de filles qui galopent vers la sortie ou s'attardent en discussions passionnées.

– C'était pas trop chiant ?

– Non. Un peu, mais y a pire. Les poses longues, ça fait un peu mal. Dans l'ensemble, c'est franchement supportable.

Il passe son bras de déménageur autour de ses épaules de sauterelle.

– Tonio nous attend chez Slimane. Les autres aussi. Jules est rentré ce matin, et Lucie vient de m'envoyer un SMS : elle nous rejoint avec Rémi, l'avocat.

Alison acquiesce en silence, heureuse de retrouver les autres, même avec le poids du manque, de l'absence de Jeanne, de Basile.

Au bistrot, quelques heures plus tard, les bières se resserrent. Le rythme des descentes a pris une vitesse de croisière. Ils sont au stade de l'ivresse molle, douce et apaisante. La nuit est chaude, la sueur coule sur les nuques, dans le creux des cuisses. Autour d'eux, les odeurs estivales, les cris joyeux, l'été. Enfin, l'alcool les autorise à rire un peu fort, à quitter leur hargne endeuillée, le temps d'une cuite raisonnable. La vie reprend ses droits, différente, bouleversée mais tenace comme leur amitié.

– Il faut que Jeanne revienne, énonce Tonio, en écho à la pensée de tous, plus ivre que les autres.

Ils sont d'accord, évidemment. Alison serre les doigts de Marc. Qui propose :

– Si on restait ?

– Quoi ?

– Si on restait au squat, jusqu'à ce qu'ils nous chassent ?

Lucie réagit :

– On attendrait l'expulsion, comme des rats dans un trou ? Comme des moutons ?

– Non, on n'attendrait pas, répond Tonio à la place de Marc. On résiste. On médiatise. On politise. Bon, vous avez besoin d'un dessin, franchement ?

Un sourire triste se creuse dans le visage de Marc :

– Fort Alamo…

– Voilà. C'est l'idée.

Rémi – l'avocat – fait la grimace.

– Vous allez vous faire virer de toute façon…

– Justement ! s'emporte Ali. Marc a raison ! On part, mais… on fait du bruit avant de partir. Y en a marre d'être invisibles.

L'énorme rire de Tonio, rocailleux, abîmé, s'envole vers le haut des immeubles, s'enroule aux corniches, résonne comme un cri.

– Faire du bruit avant de partir… Oui, j'aime l'idée.

– Il y a du monde qui se bouge, avec les manifs pour… Basile, avance Alison.

Elle a du mal à dire son prénom, alors même qu'il est scandé dans toutes les manifs de soutien.

– On peut mobiliser pas mal de gens.

– Ça changera pas grand-chose, si ? murmure Jules, qu'un nouveau combat n'enchante pas.

– Non. Ça changera pas grand-chose, répond Marc. On se fera virer quelques jours plus tard, c'est tout. Mais on lâche rien. Faut qu'on vire nos affaires, les trucs auxquels on tient, avant que les flics débarquent. En même temps…

– … on n'a pas grand chose ! s'exclament les autres, plus ou moins en chœur.

– Voilà, l'idée, c'est juste de tenir les lieux un peu plus longtemps, pour rameuter du monde, pas tout lâcher, quoi. On reste debout. Pour Basile. Pour Jeanne.

– Et après ?

– Après ? Après, on ouvrira le nouveau squat. Celui que j'ai repéré à la rue Guingouin. On continuera de se battre. Ou on partira aux Fauvettes. Ou sur le plateau. Après… *on ira ailleurs.*

Il s'arrête. Voler une phrase de son ami lui fait serrer les dents. Il chialera plus tard, entre les petits seins d'Alison, sous ses caresses maladroites. Mais pour l'instant il s'agit de garder la posture, l'élan, la parole charismatique et rassurante. Rassembler les troupes, ne perdre personne en chemin.

Slimane coupe un morceau énervé des Burning Heads pour envoyer du Moustaki. Les six râlent et lèvent leur verre pour quémander une dernière tournée avant la fermeture.

La voix du vieux barbu résonne jusque sur le trottoir :

Je voudrais sans la nommer vous parler d'elle
bien aimée ou mal-aimée elle est fidèle
et si vous voulez que je vous la présente
elle s'appelle Révolution permanente

— Slimane, tu fais chier avec ta musique de bergers ! s'insurge Marc.

— Demain, on appelle Jeanne, conclut Tonio.

TOI, JEANNE

(QUI VAS DEMEURER DANS LA BEAUTÉ DES CHOSES)

Le soleil crève ton ombre. Écrasée de lumière jaune, tu marches comme d'autres rampent, dans les rues de ton enfance. Rues vides, trouées par le mois d'août. Ton ancienne école, la boulangerie, l'abribus – tu t'y vois encore, pas si loin, à attendre. Le trottoir, par ici, a reçu mille fois les coups de talon de tes impatiences.

Tu te parles à toi-même, folle, mais au fond tu le sais : tu ne l'es pas. Juste une malade en rémission, blessée mais encore vive, déjà debout malgré la perte. Tu attises la douleur jusqu'à l'égarement, réécoutes – idiote, abrutie, petit animal solitaire – le même morceau sous ton casque. À chaque note ton cœur s'affole et tu t'offres une incursion dans ta mémoire, pas encore prête à renoncer. Tu refuses, te bats avec les faits. Tu prolonges, en boucle, comme la musique. Tu revisites les chemins de l'enfance, les routes prises accrochée à la grande main de ton père. Ces lieux que tu n'as pas eu le temps de montrer à Basile. De toute façon, vous n'aviez pas besoin de vous offrir vos enfances : trop de présent à vivre, de futur à imaginer, et puis l'enfance était si proche.

Tu penses au goudron sec sous vos pas de manifestants tandis que tu quittes la route et t'enfonces dans les bois.

Tu aimais, enfant, avec ton père, ramasser des champignons – *crrrac* sous vos pieds dans la forêt silencieuse. Attraper les chenilles sous l'écorce des arbres, souviens-toi. Souviens-toi des odeurs d'humus et de pins, et des trouvailles : chanterelles, cèpes, sanguins. Toi, tu ne trouvais que des *petits-gris* parce qu'ils ne savaient pas se cacher. Souviens-toi des feuilles mortes, orange et brunes, du plaisir de t'y vautrer, veste-chaussures-tête-cheveux, délicieusement salie par la pourriture végétale. Ramasser les champignons pour avoir les doigts collés par la glu de leurs pieds, fouiller l'humus terreux, collectionner les épines de pin. Tu aimais aussi déchirer leurs chapeaux, faire éclater entre tes doigts les lames tendres, détruire – et regretter un peu, ensuite. Le silence des forêts, le bruit de vos pas au milieu des feuilles, l'odeur de ton père et de sa vieille veste. Il tournait longtemps autour du fossé à girolles, pour que tu les trouves. Tu étais tellement fière de penser les avoir vues avant lui. Tu te souviens de ton père, à la saison des champignons. Tu te souviens d'instants magiques, et des couleurs.

L'automne reviendra doucement. Il y a longtemps, trop longtemps, que tu n'étais plus venue par ici. Il n'y a plus personne pour t'emmener aux bois. Tu marches et grimpes et tu t'agrippes au tronc des arbres, seule. Tu oses alors, à haute voix, parce qu'il n'y a personne : tu parles, chantonnes, tu t'adresses à Basile. Tu lui dis tout ce que tu n'as pas eu le temps de lui confier. Avec des mots secrets que tu aurais peut-être, un jour, osé dire.

Et puis ça monte : le ton mordant, la hargne pure, pour repousser l'effondrement. Après les flics, après le monde dans lequel tu as grandi et que tu te sens impuissante à changer. Après ceux qui ne voient rien, qui cautionnent, ne veulent pas voir. Après toi-même, qui as mis du temps à réaliser, et qui ne peux même plus reculer.

Et puis c'est à lui que tu craches ta rage. Tu dis *Regarde comme j'ai mal, regarde !* Tu dis *Pourquoi t'es pas là ?*

Tu hurles de colère, tu te sens si petite. Tu l'insultes aussi, de t'avoir abandonnée. C'est bien : la colère ravage ta peine, l'écrase. D'ailleurs, il ne s'agit presque plus de lui, au fond. Il s'agit de toi, et du vide, et de l'atroce sensation que rien, jamais, ne reviendra illuminer ta vie.

S'il n'avait pas jeté la pierre

S'il avait couru

Si tu l'avais retenu

Si t'avais su

Si t'avais pu

La colère te sauve de la disparition pure et simple. Sans elle, comment sentir à nouveau tes nerfs sous la chair, tes forces derrière l'ornière, faille géante que tu ne te connaissais pas ?

Sa mort pourrait avoir du sens ; le sacrifice dont les conséquences changent l'avenir. Mais tu sais, au fond, que c'est faux : sa mort est un détail qui ne changera rien à la grande machine qui vous écrase tous. Sa mort n'a de sens que pour vous. Une poignée.

Et puis pour toi, sa mort restera un non-sens de l'histoire, de ton histoire.

Tu l'as observé, dévoré, écouté jusqu'à deviner dans ses intonations la moindre fêlure

sans savoir que

on ne possède rien

et surtout personne

Tu cries à l'injustice, à la bavure

au désarroi

à l'innommé

à ta vie toute bousillée par la disparition de l'autre
que tu aimes
que tu aimais
que tu aimes
et ça te rend dingue, que la vie continue.

Tu te pensais douée pour la vie, et forte. Et même, dans les bras de Basile : indestructible. Pourtant tu te délites, ravagée, grattant l'écorce des arbres avec tes ongles courts. À te souvenir de la fois où, *Tu te souviens ?*

Tu dis *Tu*. À lui, à toi. Tu mélanges tout, pour faire encore exister le mélange. Tu lui parles au présent, comme s'il était encore là. Parce qu'il est encore là.

L'ESPOIR

On t'attend : c'est ce qu'ils ont dit. Tous, un par un : Jules, Lucie, Marc, Tonio, et Alison évidemment. *On t'attend.* Elle s'est réveillée quand Marc a lâché, au téléphone :

– Allez, Jeanne, rentre à la maison.

Rentre à la maison. Ça l'a sortie de sa torpeur : une petite lumière, un phare, un feu – celui qu'elle appelait si fort sur les grésillements du vinyle, un soir d'il y a mille ans.

Elle a fait son sac. Son père est venu l'aider, pliant son linge avec maladresse, sans oser la retenir. Jeanne l'a juste laissé faire, sans mots elle aussi. Parler, ça l'aurait fait chialer. Le prendre dans ses bras, pareil. Elle avait eu sa dose de larmes, n'en pouvait plus de les sentir monter, tout le temps, sans répit. Il fallait que ça s'arrête. Toute cette flotte salée la faisait fondre, et elle avait décidé de ne pas disparaître. Alors ses gestes sont devenus plus rapides, presque brusques. Son sac bouclé, elle a demandé à son père, d'une voix plus dure qu'elle n'aurait voulu :

– Tu peux me déposer à la gare ?

Il l'a regardée sans bouger, un genre de regard profond qui en disait beaucoup plus que des mots. Il a pris son sac sur son dos et l'a descendu. Elle est restée quelques minutes encore dans la chambre, tournant sur elle-même comme une danseuse solitaire, effrayée. Le bruit du coffre de la voiture – claqué – a stoppé sa rotation affolée. Jeanne a rejoint son père.

*

Quand elle descend du train, il fait déjà nuit. Jeanne prend le métro, chaque geste mesuré comme si elle s'éveillait. Chaque visage croisé attire son regard, attise ses émotions. Elle lit dans les yeux baissés, les chairs fatiguées, les fringues d'appartenance. Elle regarde les gens comme elle ne les a jamais regardés. Elle les sent, les aime étrangement, se sent terriblement proche d'eux en même temps que ramassée en elle-même, intouchable.

Jeanne émerge au coin de la rue Thiers, rebaptisée *Louise Michel* à la bombe – Marc ? Tonio ? Son cœur bat de mille souvenirs d'hier, tout juste hier. Elle descend la rue, accélérant malgré elle.

D'immenses banderoles sont accrochées aux fenêtres du squat.

Un cercle traversé d'une flèche en zigzag recouvre une partie du mur. Des cris, des rires, de la musique, résonnent jusque dans la rue. Jeanne est émue de revoir la maison, nouée mais heureuse de rentrer chez elle, même si ce *chez-elle* ne le sera bientôt plus. Elle a bien compris que c'est les autres qu'elle a besoin de voir. Ses amis.

C'est Alison qui ouvre. Jeanne devine la silhouette de Marc, tout près d'elle. Elle devine, à leurs gestes, que ces deux-là partagent une intimité neuve, et son ventre se resserre – une pointe de douleur joyeuse.

Ils se serrent, se sourient.

– On t'attendait, souffle Marc.

– C'est carrément un siège, dehors…

– On a dépassé le délai d'expulsion depuis une semaine. Pas mal de copains sont venus, histoire de faire du bruit.

– Alors il va se passer quoi ?

– Une expulsion musclée, c'est sûr. Mais on a viré toutes nos affaires, même les tiennes. En dépôt chez ma sœur. Ils peuvent rien nous faire de plus, on est déjà tous fichés, de toute façon.

– Et…?

– Ben on a eu des infos par Rémi, l'avocat qui nous a défendus : c'est le dernier soir. Du coup, on fait une fête.

– Le Grand Soir, Jeanne ! braille Tonio, du fond du salon.

Le géant arrive, l'enlace, passe sa grande main calleuse sur le crâne de Jeanne : les cheveux ont repoussé, un peu. Plus vite qu'elle n'aurait pensé.

– Bienvenue, ma grande, il lui chuchote.

Le silence ému dure quelques secondes de trop, alors Jeanne s'exclame :

– Dites, on va rester dans le couloir à se faire des câlins ou on fait la fête ?

Elle traverse l'appartement en somnambule, sourit aux visages qu'elle croise, connus ou inconnus, claque des bises et reçoit les regards de compassion avec un calme qui cache les soubresauts de son cœur écrabouillé. Elle débouche dans le jardin pour y trouver Jules. Posant son bras sur ses épaules, il lui désigne le jardin.

– Regarde, Jeanne, mes plants de vignes, comme ils ont poussé.

Elle regarde sans les voir les petits troncs noueux qui s'agrippent au mur du fond.

– C'est la fin, hein ?

– Non, bien sûr que non. Au contraire. On va partir d'ici, mais on va en ouvrir un autre, de squat. Ici, en ville, et puis on ira peut-être à la campagne, si on arrive à décider Tonio et Marc. Et si ça te branche toujours.

Jeanne lui sourit, remuée.

– Bien sûr.

Plus que jamais.

– On en plantera partout où on ira, des vignes, je te promets.

Elle voit Alison s'agiter dans la cuisine, couper des citrons pour des tequilas qui en feront tituber plus d'un. Elle repense à Tonio et son citron coupé au milieu de la rue, ça lui donne envie d'en croquer un morceau, pour rendre le souvenir plus vivace. Des tas de gens sont là, braillent fort pour couvrir la musique. Lucie rejoint Alison, deux sacs pleins dans chaque main. Les bouteilles s'entrechoquent dans un tintement festif.

C'est une fête qui commence. Ou une cérémonie ? Un instant de grand-plein pour combler le grand-vide. Une soirée d'éclat avant de se retirer, d'aller voir ailleurs s'ils y sont, s'il y seront, s'ils sauront se refaire une place, un nid. C'est une fête parce qu'il n'y a que comme ça que les choses se passent, à moins de mourir encore vivant. Ils ne veulent pas mourir, ils ne veulent pas se laisser faire. Bêtes apprivoisées, pas si mal élevées, qui reprennent leurs droits à la sauvagerie. Ils danseront ce soir, cette nuit. Ils boiront jusqu'au tournis, jusqu'à chialer comme des gosses, morve et vagues salées, tous ensemble. Longtemps, jusqu'au matin. Jusqu'à ce que les flics, à sept heures pétantes, défoncent la porte à coups de bélier.

*

280

– C'est pas vraiment une surprise, ironise Marc tandis que les flics envahissent l'espace, passent de pièce en pièce pour virer tout le monde.

Une dizaine, armés jusqu'aux dents. D'autres surveillent la sortie, plantés sur le trottoir.

– Hé, connard, un petit verre pour te donner le cran de faire ton boulot de merde ? propose un grand mec ivre, en visant les verres avec le goulot d'une bouteille de vodka.

Mais le flic interpellé balaie la table d'un grand geste furieux, envoyant valser les verres et plusieurs bouteilles, qui explosent contre le mur de la cuisine. Un coup de poing fait taire la sono. Le silence brutal fige l'instant, le rend soudain plus réel et terrible. Les squatteurs sortent, poussés dans le dos, tandis que d'autres flics montent dans les étages, détruisent le peu qu'il reste, tirent des coups de pied dans chaque objet oublié, et dans les quelques couples enlacés et endormis. Réveils rudes, prévisibles mais toujours stupéfiants.

Ils sont armés comme s'ils n'avaient pas affaire à trente militants mais à de dangereux terroristes. Lesquels ne résistent pas, vu que ce serait ridicule de le tenter, et vu qu'ils sont bourrés, fatigués, ou les deux.

En moins de dix minutes, la police a chassé tout le monde, et des types collent déjà des parpaings au ciment pour murer la maison. Au fond, ça ne déplaît pas à Jeanne que le squat soit muré. Que ce lieu n'existe plus sans Basile, c'est plus supportable que d'y vivre sans lui.

En regardant les flics frapper et détruire, Jeanne réalise que sa peur n'a plus la même intensité qu'avant. Elle n'a pas disparu, cette trouille face au pouvoir en armes, mais elle ne la paralyse plus. Au contraire : elle entretient sa colère et une tranquille détermination. Comme un goût de déjà-vu, de rengaine presque familière. Tandis que les flics les font s'aligner le long du mur, dans la rue, sous le regard des passants, et sous celui, franchement satisfait, des membres du comité de quartier, elle sourit à Tonio, Marc, Alison, Jules, Lucie. Elle sourit aux autres, aussi, venus les soutenir.

Ils iront ailleurs. Ils vont se battre. Ils existent.

*

Elle verra Basile dans chaque instant de rire, et elle pensera à ses mains sous chaque nouvelle caresse, et dans l'agitation des feuilles, les soirs de vent. Elle boira du vin à l'excès, comme si le tanin pouvait lui rendre les baisers perdus – mais ce qui est perdu est perdu, et les dix retrouvés feront les frais de son chagrin.

Et puis…

Et puis un autre la caressera avec les yeux. Un qui ne pourra jamais remplacer mais saura la faire rire à nouveau. Dont l'odeur l'enchantera des nuits entières, des nuits qui deviendront plus nombreuses que celles passées contre Basile. Ça la rendra encore plus triste, quand elle s'en rendra compte. Mais il trouvera peut-être, sans même le savoir, les mots pour éteindre l'absence, le manque terrifiant qui s'est creusé en elle. Elle ne le sait pas encore – il est trop tôt. Elle portera encore Basile comme une plaie, jusqu'à ce qu'elle s'allège, que le poids de sa mort lui griffe les épaules au lieu de les meurtrir. Même si pour l'instant, elle n'est pas capable d'y songer vraiment.

Les autres non plus, d'ailleurs, qui glapissent leur douleur entre deux éclats de rire ou de colère. Ils ne pourront plus jamais vivre comme avant. C'est impensable, même s'ils le voulaient.

Alignés contre le mur, dans ce nouveau jour d'été qui pointe, ils savent qu'autre chose est possible, une existence qui ne soit ni survie ni plainte mais cri vivace, puissance de leur rage et de leur amour. *Une vie différente.* Mais ça a un prix, comme tout le reste. Ça va les suivre jusqu'aux cheveux blancs, les accompagner jusqu'à la mort. Même s'ils oublient en chemin, ça ne disparaîtra pas. Ils sont une poignée – des milliers.

Dans la tête de Jeanne, pour toujours : le visage de Basile écrasé sur le goudron ; ses mains sur sa peau, son sexe comme un cadeau. Le vide au creux de son ventre. La rage, la lutte, et l'odeur des cabanes.

En elle les voix de ses amis, cris de douleur et rires explosifs le soir de leur installation.

En elle le frisson contagieux de la foule en colère, et qui chante. Le frappé régulier des morceaux de fer sur les murs, comme un tambour de guerre.

En elle la guerre, à présent.

RÉALISATION : NORD COMPO À VILLENEUVE-D'ASCQ
IMPRESSION : CPI FRANCE
DÉPÔT LÉGAL : AVRIL 2019. N° 139894 (3032702)
IMPRIMÉ EN FRANCE